CW00759159

La memoria

398

Andrea Camilleri

La strage dimenticata

Sellerio editore
Palermo

1984 © *Sellerio editore via Siracusa 50 Palermo*

1984 *Prima edizione «Quaderni della Biblioteca siciliana di storia e letteratura»*

1997 *Prima edizione «La memoria»*

2001 *Diciassettesima edizione*

Camilleri, Andrea <1925>

La strage dimenticata / Andrea Camilleri. - 17. ed. - Palermo : Sellerio, 2001.
(La memoria ; 398)
ISBN 88-389-1388-9
1. Sicilia - Storia - 1848.
945.8083   CDD-20

CIP - *Biblioteca centrale della Regione siciliana*

La strage dimenticata

C'era, fra i libri di mio nonno, una tragedia in versi (e naturalmente in cinque atti) che io, ancora caruso, più che leggere, quasi quasi mi mangiai avidamente: si intitolava *La tragica storia di Issione* ed autore ne era – come dichiarava la copertina – il cavalier Artidoro Scibetta, notaro, mi pare di ricordare, in Aragona. La vicenda non si allontanava manco d'un passo dallo schema che, da Shakespeare in poi, ha fatto impregnare d'inchiostro migliaia di fogli e di lacrime milioni di fazzoletti: il contrastato, e perciò alla fine inevitabilmente tragico, amore fra due giovani. Nel caso specifico, lei si chiamava appunto Issione, orfana e figlia di schiavi, mentre lui, ricco e bello, aveva lo stesso nome dell'autore, Artidoro (e non fui in grado, a quell'età, di avviare un'indagine sull'elemento autobiografico della tragedia, ma il suggerimento c'era, e chiarissimo). A un certo punto, il potente padre d'Artidoro ordina a due sicari, Antemio e Aristogitone, d'ammazzare lo zio d'Issione, uomo assai avanti negli anni, che alla fanciulla ha fatto praticamente da padre. Il picciotto Antemio è appena incignato all'arte di uccidere, ma su quella strada volenterosamente avviato, tanto è vero che lo sperto e anziano Aristogitone, uomo che all'ammazzare ci ha fatto il callo, lo porta con sé nell'impresa proprio come si fa per impratichire un garzone di bottega. Senonché lo zio di Issione, quando si vede davanti i due e capisce il vento che tira, all'accettazione della morte testardamente e ottusamente si rifiuta: si mette a fare voci, manda all'aria sgabelli e triclini, tira calci, strappa tende. Aristogitone insomma deve mettere in opera tutta la sua consumata esperienza per stringere in un angolo il vecchio, afferrarlo saldamente con l'aiuto di Antemio e finalmente sgarrargli la gola. Portato a termine il contratto, Antemio si sente morto per la stanchezza, il passo gli è diventato tanto piombigno da obbligarlo a gettarsi per terra, asciugarsi il sudore ed esclamare:

«No'l sapevo, porco Giuda!,
che ad uccidere si suda!».

Invece io so benissimo perché questi due versi me li porto dentro da quasi cinquant'anni, e la prima delle ragioni è certamente il ricordo del soprassalto che provai, a prima lettura, nell'apprendere come, per virtù del cavalier Artidoro Scibetta, gli ateniesi di Pericle (perché quello era il tempo in cui si collocava l'azione drammatica) fossero, con cinque secoli d'anticipo, a conoscenza del nome e delle malefatte del traditore per antonomasia, mentre la seconda ragione è il riscontro via via avuto (crescendo, dico, e venendo a sapere, con gli anni, attraverso racconti e immagini, di morti vio-

10

lente, stragi, e uccisioni complessamente e fantasiosamente perpetrate) della verità concretamente toccata da Antemio, e cioè che ammazzare non è né semplice né riposante.

E con particolare vivezza uno ne ricordo di questi riscontri, che appartiene però, come si usa dire, alla sfera dell'arte: quello fornitomi da Joseph Chaikin e da Claude van Itallie con l'Open Theater, a Roma, sul finire degli anni sessanta. Lo spettacolo, che si chiamava *The Serpent,* si ispirava alla Genesi ed era la storia delle disgrazie che sono capitate all'uomo per aver dato fiducia al Serpente: non solo inevitabile, ma indispensabile quindi che si arrivasse al momento in cui Caino ammazzava Abele. Nello spettacolo di Chaikin, Caino difatti dimostrava di avere tutte le buone intenzioni di ammazzare Abele ma non sapeva in pratica da che parte principiare: provava a rompergli un braccio e Abele restava in piedi strammàto con l'arto che buffamente gli pendeva (perché c'è da tenere presente che se Caino non sapeva come ammazzare, Abele manco sapeva come morire), poi gli rompeva una gamba e l'altro cadeva sì ma si metteva a strisciare, dopo ancora gli spezzava l'altro braccio e l'altra gamba ma Abele sempre vivo restava, magari con un occhio di meno e con tutti i denti sputati. Insomma, l'invenzione ex novo dell'omicidio era, per Caino, faccenda lunga e faticosa, tale da far correre alla pari forza e cervello: quando, sudato e col fiato grosso, ne veniva a capo, si stendeva a terra – come Antemio – più morto di Abele finalmente morto.

Certo, le scoperte scientifiche hanno di molto sem-plificato le cose, e sparare a distanza a uno è diventato assai più comodo – pure dal punto di vista della perdita di tempo – che colpirlo di lama o peggio ancora ammazzarlo a mani più o meno nude.

Le cose tornano a complicarsi però quando si tratta di organizzare l'assassinio di migliaia di persone, magari se è sempre pronta a dare una mano, in questi casi, la tecnologia che si chiama avanzata. Gli esperti del settore, in occasione di deposizioni e testimonianze, ci hanno raccontato che c'è, in prìmisi, da calcolare quanto tempo abbisogna (obbligare un uomo ammanettato a inginocchiarsi, piegare a dovere la nuca e ricevere il debito colpo di pistola, porta via circa tre minuti preziosi; se interviene un prete o altro confortatore il tempo si triplica), da stabilire poi il numero preciso degli esecutori in rapporto al numero dei giustiziandi (o assassinandi a seconda di come si vede la cosa), da prevedere il quantitativo dei mezzi per il trasporto dei corpi dopo l'esecuzione o il sistema per l'eliminazione dei cadaveri (dalla benzina per bruciarli al bulldozer per interrarli), da tenere conto infine di altri numerosi dettagli secondari di cui non sono felicemente a parte.

Per questo, il responsabile supremo della «soluzione finale», l'obersturmbannführer Adolf Eichmann, non poté giustamente celare, al suo processo, una nota d'orgoglio nella voce: aveva lavorato in grande, su scala di milioni, senza commettere o far commettere un errore né dal punto di vista logistico-organizzativo né meno che mai dal punto di vista umano. Ammise però che per pianificare scientificamente lo sterminio di sei milioni di persone aveva dovuto «sudare» per davvero.

Nel suo piccolo, invece, il maggiore Sarzana «sudò» assai poco per trovare il sistema di ammazzare, nella notte fra il 25 e il 26 gennaio 1848, centoquattordici persone in un botto solo e con mezzi, come dire, artigianali.

Nel dicembre dell'anno 1847 Gaetano Attard, «eletto aggiunto» con funzioni di ufficiale di stato civile distaccato dal comune di Girgenti presso la Borgata Molo, riceve dal Presidente del Tribunale provinciale, Giovanni Mendola, il registro degli atti di morte per il 1848 (gli viene magari inviato, con lo stesso pacco, quello degli atti di nascita: ma qui, purtroppo, non dobbiamo contare storie di nascite). Ora, dato che nel dicembre 1847 il memorabile anno 1848 è, non solamente per gli abitanti della Borgata, ancora tutto da vivere e da patire, uno può farsi il concetto sbagliato che tanto Gaetano Attard – che ha fatto domanda di vidimazione per cinquanta fogli, validi per l'iscrizione di cento morti, uno a facciata – quanto Giovanni Mendola – che quelle cento facciate ha accuratamente timbrate e siglate – fossero dotati di preoccupanti capacità divinatorie, le stesse per cui, secondo Guglielmo di Figueira, Federico II di Svevia era in condizione di «sapere prima ciò che dopo avviene». La divinazione (però intesa come «tirare a indovinare») è esercizio al quale, in Italia, inclinano tanto il magistrato quanto il funzionario più o meno statale, ma nel nostro caso è necessario dire che i due non fecero altro che mantenersi saggiamente dentro consuetudine ed esperienza. Del resto, a petto di avvenimenti straordinari (ma poi non tanto) come catastrofi, cataclismi o epidemie, si era pensata una rilegatura del registro facilmente scollabile per l'inclusione di fogli aggiunti.

A prima vista, e con l'irritante sufficienza dei posteri i quali, al contrario di Federico II, hanno il privilegio di conoscere solo dopo quello che prima è avvenuto, verrebbe da affermare che Gaetano Attard sgarrò di grosso, se i morti nella Borgata Molo furono nel 1848 esattamente duecentodiciannove. Ma a taliàre bene, l'errore non pare più tanto grande e a guardare benissimo, errore non ce n'è per niente. Anzi. I paesani morti, come previsto da Attard, furono cento, né uno più né uno meno (ma fa piuttosto colare sudore freddo un'altra constatazione, e cioè che di quei cento, trentacinque erano nicareddi che non superarono il primo anno di vita e trentuno caruseddi che non ce la fecero a passare i dieci anni d'età). A questi cento – di cui quindi solo trentaquattro erano adulti – vanno aggiunti cinque morti forastieri: tre, per vajolo maligno, sulle navi alla fonda o di passata; due, trovati nel perimetro della Borgata e mai identificati, per ferite d'arma da taglio.

Per arrivare al totale di duecentodiciannove ne mancano ancora centoquattordici: quelli di cui si incaricò appunto il maggiore Sarzana.

Non sempre la Borgata Molo si era chiamata così.

Quando Agrigento era conosciuta come Akragas al tempo dei Greci o come Agrigentum al tempo dei Romani, forse la Borgata era il punto estremo e anonimo di una fitta serie di commerci che si svolgevano lungo tutta la pilaja a partire dalla contrada San Leone. La città era celebrata; poeti, storici, geografi, da Pindaro a Polibio, da Cicerone a Diodoro, quelli che la vedevano restavano ammammaloccuti per lo sfarzo degli edifici e il tenore di vita dei suoi abitanti. Uno di questi, Gellia, tanto per fare un esempio, metteva i suoi servitori alle porte della città: ogni forestiero che arrivava veniva invitato a mangiare e a dormire a spese dell'anfitrione. Un giorno che capitarono tutt'insieme cinquecento cavalieri, Gellia non fece né ai né bai: organizzò per tutti, cavalieri e cavalli, un tale banchetto che magari i cavalli ancora ne tramandano memoria genetica. Diodoro conta che quando l'agrigentino Esseneto ce la fece a vincere i giochi olimpici, trecento carrozze ognuna tirata da quattro cavalli bianchi gli si fecero incontro al ritorno. C'è un piccolo particolare: le carrozze erano d'avorio «poiché sappiamo che le carrozze di tal fatta, in Agrigento, vi si contavano a centinaia». Per ragioni che vedremo appresso, di tutti i templi di Agrigento ne citeremo uno solo, il tempio di Giove Olimpico, il quale, secondo Polibio, per «magnitudine» e per «amplitudine», era «nulli ex Graeciae operibus secundum». Però dopo le mazzate avute dai Cartaginesi, e con l'arrivo degli Arabi, la città, divenuta Kerkent, si arroccò in cima alla collina che aveva alle spalle e spostò il centro dei suoi traffici marinari verso quella che sarebbe diventata la Borgata Molo. Difatti verso il 1150 il musulmano Idrisi, geografo, scriveva a Re Ruggero che «qui vi si raccolgono le navi»: segno che se «l'eccelsa potenza» (è Idrisi che lo dice) era un poco calata, il commercio ancora andava ch'era una bellezza. Nella seconda metà del Quattrocento la Borgata nome ancora non aveva, era solo il «caricatore» di Girgenti, un luogo di raccolta e di smercio del grano che affluiva dall'entroterra. Un diploma dell'epoca lo definisce «lo migliori et lo principali porto di quisto regno». Migliore, ma soggetto a quello che oggi si direbbe un grave handicap: la sua particolare dislocazione faceva sì che fosse oggetto di rapide quanto devastanti razzie; i predatori, con i loro velieri, usavano appostarsi al riparo di una collina di marna a strapiombo sul mare e che sulle acque fa come un piccolo promontorio, detta «scala dei turchi»; da lì, non appena gli veniva il vento a favore, erano in grado di piombare in un vìdiri e svìdiri sulla spiaggia e agguantare le mercanzie. Per porvi riparo, essendo imperatore Carlo V, il viceré Giovanni Vega fece costruire nel 1554 «una rocca molto forte sì di fabbrica come di munitione, per la sicurezza del formento, nel qual luogo ne viene grandissima copia», come scrive Camillo Camilliani nella sua *Descrizione della Sicilia* del 1584. Una stampa francese del Settecento ci fa vedere sparse case costruite direttamente sulla spiaggia, una grandissima tenda, qualche magazzino (in muratura o interrato), botti e barili alla rinfusa, un veliero, una barca, un palco addobbato con reti da pescatore e la sagoma della grande, cupa Torre circondata dal mare e unita alla spiaggia da un ponte in muratura. Malgrado l'incisore si sia ingegnato con apprezzabile buona volontà a movimentare l'insieme con figure di persone per lo più mosse e leggere (addirittura sul palco c'è chi suona e c'è chi balla), il paesaggio produce una non piacevole impressione di sconquasso, di terremoto. Non fu però per dare ordine al paesaggio, ma solo perché il commercio fioriva, che nel 1748 Carlo III di Borbone autorizzò la gettata di un molo. E fu allora che il vescovo Gioeni fece la bella pensata di pigliare il materiale per la costruzione dai ciclopici ruderi del tempio di Giove (quello citato da Polibio), ottenendo così – scrisse un faceto spirito tedesco – il duplice risultato di costruire un molo e d'insegnare l'archeologia ai granchi e alle patelle. Compiuto lo scempio, da allora il villaggio, che già nel Seicento si chiamava «Marina di Girgenti», venne denominato negli atti pubblici «Borgata Molo»: ma i girgentani, a ricambiare l'antipatia viscerale che gli abitanti della Borgata (un misto di napoletani, salernitani, licatesi e maltesi) avevano sempre verso di loro dimostrata, continuarono a chiamarlo «il sottoposto molo» e chi voleva capire lo scherno sottinteso in quel «sottoposto», capiva. Del resto, gli abitanti della Borgata potevano al riguardo solamente mangiarsi il fegato: quel «sottoposto» era ineccepibile vuoi dal punto di vista amministrativo vuoi dal punto di vista dell'altitudine. E perfino quando nel 1853, per graziosa concessione di Ferdinando II, la Borgata divenne decurionato, dotata quindi di municipio proprio, Girgenti ebbe la meglio. Per gratitudine verso il sovrano, gli abitanti della Borgata avrebbero voluto che il loro paese si denominasse «Città Ferdinanda» ma si dice che i girgentani tanto intrigarono che il nuovo decurionato si chiamò «Molo di Girgenti». Se tanto mi dà tanto, io non so, in coscienza, quanto del successivo entusiasmo risorgimentale degli abitanti del Molo fosse dovuto a spirito patriottico e quanto alla sotterranea convinzione che, cambiate le carte in tavola, si sarebbe presentata finalmente l'occasione di sottrarsi al predominio dell'odiato capoluogo: fatto sta che con l'Unità «si riuscì a cancellare le stimmate portate per lunghi anni nell'anima», come esultò uno storico locale il quale non lascia e non vuole lasciare dubbi su chi quelle stimmate, assai simili a coltellate, avesse inferte. Con Regio Decreto del 4 gennaio 1863 infatti il Molo di Girgenti definitivamente sparì per lasciare posto al Comune di Porto Empedocle, in omaggio a un filosofo che, purtroppo, era girgentano di nascita.

Ma la coltellata più grave i girgentani – senza ancora saperlo – dovevano infliggerla agli empedoclini nel 1867. Il 18 giugno di quell'anno, la signora Caterina Ricci-Gramitto, che aspetta un figlio, spaventata da una leggera passata di colera (o di altra epidemia, ché allora varietà non fagliava), decide di trasferirsi momentaneamente da Porto Empedocle in una sua solitaria casa di campagna in località Caos, nel territorio di Girgenti. E lì, dieci giorni dopo, nasce Luigi Pirandello, che viene così letteralmente rubato agli empedoclini.

«... quelle quattro casucce sulla spiaggia, alle cui

mura, spirando lo scirocco, venivano a rompersi furibondi i cavalloni... quel piccolo molo, detto ora Molo Vecchio, e quella torre alta, fosca, quadrata, edificata forse per presidio dagli Aragonesi, al loro tempo, e dove si tenevano ai lavori forzati i galeotti: i soli galantuomini del paese, poveretti!». Ecco: a consolazione degli empedoclini si può dire che in queste parole di Pirandello c'è un implicito, seppure inconscio, riconoscimento di paternità, se è vero, come è vero, che agli occhi di ogni artista, nessun paese al mondo appare tanto selvaggio quanto il borgo natìo.

«Alta, fosca, quadrata», la Torre è in realtà un piccolo, tozzo castello rozzamente finalizzato agli scopi per cui venne pensato: a nessuno cioè, al momento della sua costruzione, passò per l'anticamera del cervello che una qualsivoglia castellana avrebbe potuto alleggerire, con la sua presenza, la cupezza del luogo. E, come carico da undici, va aggiunto che il torrione, in origine, sorgeva in mezzo alle acque ed era collegato alla pilaja solo da un ponte levatoio (poi in muratura). Divenuta, coi Borboni, bagno penale e, dopo l'Unità, carcere, la Torre, pur nel variare delle situazioni politiche, coerentemente dunque non cangiò la sua destinazione, sempre di difesa si trattava, non più da nemici esterni ma da quelli interni o almeno che tali erano di volta in volta ritenuti: mutò, invece, ma non di tanto, la disposizione degli ambienti, delle scale, dei passaggi. E, in fondo, quando da carcere passò ad essere, poco prima che cominciasse l'ultima guerra, sede di un comando marina – questa volta con un vero rivoluzionamento dei locali – la Torre non fece altro che recuperare le sue antiche funzioni, e le recuperò benissimo, tanto è vero che bombardamenti e cannoneggiamenti scalfirono a mala pena l'intonaco delle mura perimetrali (e un po' di merito, al lume di recenti frane e di palazzi che paiono fatti di ricotta, va all'architetto – all'onestà dell'architetto – che la costruì nel '500). Semmai oggi, che vi è allogata la biblioteca comunale e vi hanno trovato posto un cineclub e un circolo culturale, occupando solo una minima parte dello spazio a disposizione, la Torre pare voglia, con la sua aria umidiccia e chiusa, con la scarsezza di luce, con la durezza degli spigoli, rigettare queste incongrue utilizzazioni e sottolineare continuamente il tradimento che si consuma ai danni della sua vera vocazione.

«Ha la forma di una piramide tronca» scriveva nel 1926 il professor Baldassare Marullo, podestà, sindaco e storico di Porto Empedocle «sebbene nell'ultimo tratto, dalla cornice in su, le mura tornino a ripigliare la perpendicolare, a chiudere una vasta terrazza, da dove nulla si occulta all'osservatore di tutto il litorale del seno. La sua sagoma dura, dalle linee rigide, uniformi, le dà espressione poco gaia, quasi incombente, fra tanta vita che di giorno le ferve intorno. Nel basamento la Torre disponeva di larghe fosse, annullate del tutto dopo il '60 e che servivano per depositi di generi di vettovagliamento. Vi si trova tuttavia una grande cisterna, dove defluiscono le acque piovane che si raccolgono nell'edifizio e che, in passato, spesse volte servirono a dissetare il paese. I piani sovrastanti presentano ampi cameroni, però bassi e privi di luce, la quale vi penetra soltanto da finestre molto piccole e, per giunta, incastrate tra mura di sei metri di spessore. Vi è caratteristico un colossale cilindro in muratura, dentro il quale si sviluppa una scala, ad unire il primo piano alla terrazza che chiude in alto il fabbricato. Perché servisse tale scala, interna e senza comunicazione alcuna con le camerate, non sono riuscito a sapere, ma tutto induce a credere che essa fosse stata ubicata così per disimpegnare la guarnigione dagli ergastolani in qualche momento di pericolo».

Premesso che non si capisce perché la Torre dovesse avere un'espressione diversa da «poco gaia» considerato che, per tutta la sua esistenza, se non era stata zuppa era stato pan bagnato, e premesso ancora che la «grande cisterna», colmata di terra quando vi si insediò il comando marina, sarebbe oggi che manca l'acqua peggio che ai tempi di Carlo V, utilissima, va detto che le fosse, «annullate del tutto dopo il '60 e che servivano per depositi di generi di vettovagliamento», ancora nel 1848, al tempo cioè che ci interessa, non erano state per niente annullate. Anzi, abbattute le pareti divisorie tra fossa e fossa se ne era formata una sola, assai grande, detta «comune», che si presentava come luogo ideale per tenervi la maggior parte degli ergastolani dato che era praticamente sotto mare e l'unico passaggio d'entrata e d'uscita consisteva in un'ampia apertura a livello terra, chiusa da una grande grata di ferro orizzontale rispetto al suolo. In quanto al cilindro in muratura di cui Marullo non sa spiegarsi l'utilità, occorre per un attimo farvi mente locale, poiché assieme alla sottostante fossa ha un'importanza fondamentale nella nostra storia.

David Macaulay che ha descritto le vicende della costruzione di un immaginario castello gallese tra il 1277 e il 1305, servendosi di tutte le notizie a sua conoscenza sull'architettura militare in Europa, ci spiega come le torrette di avvistamento, che sorgevano a fianco delle più massicce torri ed erano più alte di esse, fossero pure delle prese d'aria. La Torre fatta costruire da Giovanni Vega non comprendeva torrette: perciò il grande cilindro centrale, oltre che da disimpegno per la guarnigione, doveva servire magari da presa d'aria e difatti la scala interna, correndo solo ranto ranto il muro, formava un altro cilindro, più piccolo e completamente vuoto. Il cilindro terminava a piombo sulle fosse, in modo che le vettovaglie che vi stavano dentro potessero avere un minimo di ventilazione. Tanto dalla terrazza, quanto dal piano terra, il cilindro si poteva chiudere con due pesanti portelli di ferro rotondi: quando ciò avveniva, non solo si isolava completamente la scala, ma nella fossa non arrivava più manco un filo d'aria.

E a proposito di vento e d'aria, «solo alito d'arte» scrive ancora Marullo «ne sono le insegne imperiali spagnuole, assai ben conservate, ed un blasone, veramente bello, raffigurante un cane levriere, che tiene con le quattro zampe un magnifico scudo, nel cui centro sono tre ordini di torri accostate fra loro e piantate su una larga scogliera. Il cane ha nel cimiero, il motto: malo mori quam foedari».

«Meglio morire che essere disonorato»: bel motto, che tradotto spesso impropriamente dai siciliani «meglio morire malamente che parlare», è un po', dalle parti nostre, come far piovere sul bagnato.

Nel 1840 Carlo Ilarione Petitti di Roreto pubblica una ponderosa dissertazione intitolata *Della condizione attuale delle carceri e dei mezzi per migliorarla,* dove analizza minutamente i vari sistemi carcerari in voga e le rispettive teorie, quella ad esempio che privilegiava la comunanza fra i detenuti e la somministrazione continua di gravi castighi, l'altra, detta pensilvanica, che era invece per l'isolamento continuo del condannato giorno e notte, una terza, chiamata auburniana, che era invece per l'isolamento limitato alla notte e il lavoro comune di giorno ma con l'obbligo del silenzio e via di questo passo. Zara bazàra (espressione intraducibile che si può tentare di far capire con «voltala come vuoi sempre è cocuzza»), fra tutte queste teorie (che si mutavano, come non sempre avviene per le teorie, in dura pratica) una convinzione comune c'era, e saldissima: che la delinquenza era ineliminabile essendo il delinquente un po' come un'alluvione o un terremoto, una specie di calamità naturale, un elemento anomalo nel corpo della società, un fungo velenoso in un terreno altrimenti sanissimo. All'epoca della dissertazione di Carlo Ilarione Petitti, Cesare Lombroso ha appena cinque anni e quindi non è ancora in grado di esercitare: il felice incontro con la cresta occipitale del brigante Vilella lo farà persuaso, anni dopo, che la sorte delinquenziale di un individuo la si poteva indovinare magari contando il numero dei peli che quello aveva sul petto. E dunque: quando è destino è destino.

Ho scritto qualche rigo più sopra «fungo velenoso», però il paragone è sbagliato. Perché il fungo velenoso, sino a prova contraria, ammazza o ci prova ad ammazzare, ma non ruba. Vero delinquente invece è colui che attenta alla proprietà altrui, lo sostengono tutti i codici, compreso quello che era in vigore fino al 1889. Per il furto con una sola aggravante, difatti, si prevedeva una pena da tre a dieci anni, mentre per le lesioni gravi – che non comportavano pericolo di vita – la pena da comminare era da un mese a due anni. Però per reati contro la proprietà che presupponevano, in chi li commetteva, un certo grado d'istruzione, la pena era veramente piccola: quel particolare tipo di ladro era assai più vicino, come classe, a chi aveva compilato i codici di quanto non lo fosse un analfabeta ladro di patate.

«In realtà i detenuti» scrive Guido Neppi Modona in *Carcere e società civile* «e per la loro provenienza di classe e per il tipo di reati che commettono, non interessano a nessuno, anzi rappresentano un pericolo per i ceti che detengono il potere... Non deve quindi stupire che la politica carceraria miri in realtà a respingere dalla società la popolazione dei detenuti, a distruggerla e a porla in condizione di non nuocere per il periodo più lungo possibile, restituendola poi fiaccata».

E figuriamoci poi che scialo quando, come nel caso dell'ergastolo, questa popolazione di detenuti non doveva più essere restituita! A fiaccarli, in modo da trasformarli in docili robot per il lavoro da appaltare, si provvedeva ad ogni buon conto subito: la pena dell'ergastolo si scontava, per i primi sette anni, in segregazione cellulare continua con l'obbligo del lavoro. E qui i casi erano due: o dopo qualche anno di totale isolamento ti facevi la convinzione d'essere, che so, un topo, e allora abbandonavi lavoro e ragione limitandoti a squittire, oppure a quel lavoro ti aggrappavi appunto per non uscire pazzo e lo perfezionavi quasi maniacalmente (anzi senza quasi) fino a riuscire ad essere, nel tuo campo specifico, un mastro d'opera fina. A tutto vantaggio dell'appaltatore, che poteva vendere a un prezzo inferiore di quello praticato sul mercato un prodotto di qualità superiore. Se il condannato ce la faceva a sopravvivere a quei primi sette anni di segregazione, per il periodo successivo – gentile e ipocrita eufemismo per non dire fino alla morte – veniva quindi ammesso al lavoro in comune con l'obbligo del silenzio.

(Giunto finalmente all'età giusta, potei distruggere due piccoli templi, uno della Concordia e uno di Castore e Polluce, che da tempo immemorabile stavano su una mensola nello scagno di mio nonno. Uno era fatto di mollica di pane e l'altro di piccole conchiglie: avevo fin da caruso intuito, più che sentito, che si trattava di un travaglio di ergastolani. Mi avevano fatto subito orrore, spavento. Non era una questione di gusto, non ero ancora in età di distinguere: fra gli oggetti che avevano la capacità di farmi piombare in una specie di urlante e tremante predeliquio, quelli occupavano il terzo posto – prima veniva il gibus di mio padre e dopo un qualsivoglia ombrello – ma con un di più: li sentivo, come tentai di spiegare a qualcuno di casa che me ne domandava conto e ragione, «scivolosi e umidi». Lo stesso scivoloso e umido che provo ancora oggi, quasi vecchio, quando mi arriva una busta contenente quei disegni fatti con la bocca o coi piedi da certi infelici senza braccia: di botto, ritorno allo stesso sconcerto, allo stesso tremore).

«Ch'è friddu stu dammusu, è comu un gniazzu / ca acqua spanni da tutti li mura» (com'è fredda questa cella, è come un covile / che getta acqua da tutti i muri); oppure: «'nfami cu fabbricau sti riani / tutti a lu scuru comu l'addannati» (infame chi ha fabbricato queste fogne / tutti al buio come dannati); e ancora: «sugnu ammoddu comu na liama» (sono in acqua come la canapa) e via di questo passo, non c'è insomma canto anonimo di carcere (io li sto citando dal libro di Antonino Uccello, *Carcere e mafia nei canti popolari siciliani*) che nell'Ottocento non lamenti l'umidità nella quale è costretto a campare il condannato. Mai, insomma, l'espressione «bagno penale» fu così propria. In molte prigioni, Favignana, la Torre della Marina, la Cittadella di Messina, la maggior parte delle celle e delle fosse comuni si trovavano addirittura assai al di sotto del livello del mare: rispetto agli altri carcerati, gli ergastolani della Torre (che erano circa duecento) godevano però del privilegio di potersi asciugare le ossa durante il giorno. Di prima mattina infatti i condannati venivano condotti fuori dalla Torre e divisi a squadre. Dopo avere assistito alla Messa davanti una chiesetta di poca profondità ma dotata di una grande porta in modo che tutti potessero vedere l'officiante, chiesa che sorgeva in una piazza detta, significativamente, «Piano dei sospiri» (si vede che da Venezia alla Borgata Molo il sospiro del carcerato tagliava l'aria comunque, sia da un piano che da un ponte), ogni squadra si avviava al lavoro: al porto, a caricare o a scaricare merci, assai più spesso a dragare; in campagna, per i lavori stagionali; alla cava di pietra; al servizio urbano, per raccogliere i rifiuti o per l'assestamento delle strade. Il nucleo più grosso, composto da artigiani, sarti, calzolai, falegnami, ferrai, cesellatori, veniva invece condotto al «rastiglio», che era una sorta di enorme capannone lungo le cui mura, a intervalli regolari, sporgevano grandi anelli di ferro. Incatenati saldamente a questi anelli i condannati, la porta del «rastiglio» si apriva, i paesani vi potevano accedere e, con l'aiuto delle guardie (perché i carcerati dovevano rispettare il silenzio), servirsi del lavoro di quegli artigiani naturalmente a prezzi di assoluta concorrenza. Tutti i lavori dei forzati erano (lo si è detto) dati in appalto, e l'appaltatore poteva permettersi il lusso di tenere i prezzi bassi, pur arricchendosi, perché dava ai suoi lavoranti un salario letteralmente da schiavi.

Il nome «rastiglio» deriva chiaramente dall'italiano rastrello e dallo spagnolo rastrillo, che nelle due lingue designa tanto l'arnese che usa il giardiniere quanto il cancello a punte multiple che una volta chiudeva l'accesso a fortezze e città. Ma vorrei ricordare che, in siciliano, è magari la lettiera della mangiatoia lungo la quale si allineano e si legano le bestie: non so perché questa seconda interpretazione mi pare a orecchio assai più giusta.

Gli ergastolani perciò che, appena entrati nella Torre perdevano la qualifica dovuta a qualsiasi mestiere avessero prima esercitato (difatti sul registro di entrata alla voce «professione» veniva scritto solamente «servo di pena»), in omaggio allo sfruttamento cui erano sottoposti, riacquistavano le loro specifiche qualifiche, non appena dal Bagno penale mettevano un piede fuori (e sia pure un piede incatenato). Il professor Marullo, ricordando un maestro di scuola «che tanti dei nostri vecchi addestrò nel conteggio e nella lettura e nella scrittura», arriva, senza sospettarlo, e se l'avesse sospettato si sarebbe preso uno spavento di morte date le sue convinzioni politiche, alle stesse conclusioni di Engels a proposito della schiavitù e del fiorire della civiltà greca, e cioè che la Borgata trasse grandi benefici, pure culturali, dalla presenza dei forzati. Molti dei quali, col passare degli anni, erano diventati veramente di casa: spesso infatti dai loro paesi di nascita erano arrivati dei familiari che alla Borgata Molo avevano trovato alloggio, comprensione, e il conforto di poter vedere quotidianamente il loro congiunto. Del resto, lo stesso accadde in molti casi per i carcerieri, qualcuno dei quali trovò addirittura moglie fra le donne del paese. La comunanza tra famiglie dell'una parte e dell'altra fu sempre senza incidenti gravi, quei pochi che successero non successero a causa dei differenti ruoli che esistevano dentro la Torre. La voce popolare anzi narra che tra membri dei due gruppi vi fu qualche matrimonio felice. A sera, i condannati venivano riportati dentro la Torre, i più fortunati incatenati nelle poche celle poste in alto, i più sfortunati dentro la grande fossa che trasudava acqua di mare.

(Ci sono entrato, un anno fa, nella cosiddetta cella di uno dei cosiddetti fortunati. Un cunicolo lungo tre metri e alto poco più di un metro e venti nel primo tratto, quello più vicino alla porta, così che per entrarci si doveva quasi strisciare, e nel secondo tratto, la cella vera e propria, alto non più di uno e sessanta, lungo sì e no due metri e mezzo, le pareti senza intonaco rozzamente scavate all'interno del muro perimetrale, un grosso anello da catena, una finestrella a livello del pavimento munita di una doppia inferriata. Contro quella tana, e ne avevo viste di più confortevoli costruite da lepri o porcospini, si erano rotte le corna le belle parole della riforma carceraria borbonica della fine degli anni cinquanta, della riforma unitaria del 1891 (i cui lavori parlamentari, a conforto dei reclusi, erano iniziati vent'anni prima), delle due circolari di riforma giolittiana del 1902 e del 1903, della circolare aggiuntiva di riforma del 1907, della «moderna» riforma del 1921-22, della riforma fascista del 1931 e della solenne pigliata per fesso detta la «Carta del lavoro carcerario» del 1932. Tana era e tana era rimasta. Dopo pochi secondi che c'ero entrato, mi mancò l'aria al pensiero che un carcerato comune lì dentro doveva restarci giorno e notte, senza manco il vantaggio, si fa per dire, di essere, come ergastolano, ogni mattina incatenato al «rastiglio».

«Almeno da qui poteva vedere il mare» dissi, cercando di confortarmi, ai due amici che mi accompagnavano. Pepé Fiorentino, uno dei due, mi taliò brevemente: «Ti stai scordando» fece «che alle finestre c'erano le bocche da lupo che ora hanno levate».

«Al massimo» aggiunse Fofò Gaglio «poteva vedere una striscia di cielo se si metteva coricato a pancia sotto e s'impicciava con la faccia alle sbarre».

Per terra, mangiati dai topi, i resti di un pagliericcio, di una scarpa, di una specie di casacca. Miracolosamente intatti, invece, una decina di quaderni con le tipiche copertine degli anni 1930. Nel primo che pigliai a caso, c'erano scritte parole come mamma, papà, figlio, Rosina; nel secondo invece c'erano aste, vocali e consonanti tracciate con mano insicura: si vede che i quaderni non mi capitavano in ordine cronologico. Nel terzo che aprii il carcerato aveva invece cominciato a scrivere. Sulla prima pagina, a stampatello, campeggiava la frase: «la vita è bella». Senza che fosse ulteriormente diminuita la luce dentro la tana, non ce la feci a leggere oltre).

Il nove gennaio 1848 i muri di Palermo furono tappezzati da un proclama che principiava così:

«Siciliani! Il tempo delle preghiere inutilmente passò! Inutili le proteste, le suppliche, le pacifiche dimostrazioni. Ferdinando tutto ha sprezzato. E noi, popolo creato libero ridotto fra catene e nella miseria, tarderemo ancora a riconquistare i legittimi diritti? All'armi, figli della Sicilia! La forza di tutti è onnipossente: l'unirsi dei popoli è la caduta dei re. L'alba del 12 gennaio 1848 segnerà l'epoca gloriosa della universale rigenerazione».

In queste parole due cose impressionano, una delle quali sommamente. La prima è che un'insurrezione sia annunciata non solo pubblicamente ma addirittura con tre giorni d'anticipo, segno – come spesso avviene – non tanto d'incoscienza o di inarrestabile «geometrica potenza» degli insorgenti quanto di imbecille sordità dei tutori del momentaneo ordine costituito. La seconda, quella che ci fa restare del tutto intronati, è che l'insurrezione sia poi scoppiata davvero e – a Palermo! – alla data stabilita.

A li dùdici jnnaru quarantottu
spincì la testa du Palermu afflittu,
misi focu a la mina e fici bottu,
cu grolia ha vinnicatu lu sò grittu:
di vecchiu ch'era, accamparìu picciottu,
spinci la manu cu lu pugnu strittu,
lenta a Burbuni un putenti cazzottu:
– Tinìti, Majstà, vi l'avia dittu!

Vi l'avia dittu cu la lingua sciota,
vi la pigghiasti pri n'a smafarata;

31

lu dùdici jnnaru lu dinota
ca era pronta la grannuliata...

(Il dodici gennaio quarantotto / alza la testa Palermo l'afflitto / mise fuoco alla mina e fece botto / con gloria ha vendicato il suo diritto / da vecchio ch'era, giovane divenne / alza la mano con il pugno stretto / affibbia al Borbone un potente cazzotto: / Prendete, Maestà, ve l'avevo detto! / Ve l'avevo detto chiaramente / la credevate una smargiassata / il dodici gennaio ve lo dimostra / che era pronta la grandinata...).

Il canto popolare, che riporto dal libro di Antonino Uccello, *Risorgimento e società nei canti popolari siciliani*, ha perciò tutte le ragioni di vantarsi. Ma va magari detto che quel proclama, essendo più che altro il prodotto di una solitaria alzata d'ingegno di Francesco Bagnasco, senza cioè che gli altri antiborbonici ne sapessero il resto di niente e senza quindi che ci fosse un qualsiasi comitato rivoluzionario per coordinare l'azione, rischiò di far perdere la faccia a mezza Sicilia e di far morire dalle risate re Ferdinando. La mattina del 12, difatti, il botto tardò pericolosamente a farsi sentire perché mancava, in un certo senso, la miccia. Ci volle padre Ragona, crocefisso alla mano, a fare voci al popolo in favore della sollevazione, ci volle l'infocata oratoria dell'avvocato Paternò, ci volle Giuseppe La Masa con una sua banda di picciotti e una fantasiosa bandiera fatta di fazzoletti bianchi e rossi legati a un'asta con nastri verdi, perché il botto, finalmente, si sentisse. Ma da quel momento le cose si intricano e precipitano.

Il giorno 15 succedono alcuni fatti importanti. Essendo ormai Palermo completamente in mano agli insorti, il colonnello Gross, governatore svizzero del forte di Castellammare, ricevette l'ordine di bombardare la città. Gross, più confuso che persuaso, sparò qualche pigro colpo, e subito tutti i consoli stranieri presenti a Palermo si precipitarono da De Majo, luogotenente generale e uomo che non avrebbe fatto male a una mosca, perché, in nome dell'Europa, si ponesse fine a «quell'orrore che meritava l'esecrazione del mondo civile». De Majo non se lo fece dire due volte e ordinò a Gross la cessazione del fuoco. La sera dello stesso giorno 15, sbarcava vicino a Palermo, agli ordini del Maresciallo De Sauget, un corpo di spedizione napoletano composto da cinquemila uomini. Molti degli insorti, vista la mala parata, si rifugiarono a bordo della nave da guerra *Bulldog* (il cui nome era tutto un programma) che apparteneva a quegli stessi inglesi che nella rivoluzione siciliana ci stavano, per motivi loro, inzuppando il pane. Ma il Maresciallo De Sauget, fermandosi fuori delle porte di Palermo, fece capire all'urbi e all'orbi che non solo non aveva prescia, ma non si faceva manco convinto della riuscita finale della spedizione, e questo, come scrisse al suo re, per la ragione semplicissima che gli insorti, essendo dei disperati morti di fame, non avevano niente da perdere, mentre i suoi soldati, che erano abituati ad essere trattati bene, si trovavano assai a disagio senza tabacco. Mentre il resto della Sicilia insorgeva, ci furono trattative e tentativi di concessioni minori che non ebbero altro risultato al di fuori di dare nuova fiducia ai rivoluzionari.

Altri due fatti importanti capitarono il giorno 24. De Majo abbandonò il palazzo reale con le sue truppe e con un seguito ululante e piangente di donne e bambini per raggiungere De Sauget fuori Palermo. La marcia fu disastrosa, quando arrivarono sul posto «più morti che vivi» (così scrive Harold Acton nel suo *Gli ultimi Borboni di Napoli,* libro dal quale traggo queste notizie) seppero che il Maresciallo si stava ritirando su Messina. De Majo, che era buono e caro, fattosi pigliare questa volta dal nervoso, decise di considerarsi da quel momento dimissionario e, chiamatosi fuori da tutta la faccenda, si imbarcò per Napoli. Sempre lo stesso giorno 24 i quattro comitati rivoluzionari provvisori si fusero in uno solo: presidente ne divenne il settantenne Ruggero Settimo, segretario generale Mariano Stabile.

Se al manifesto di Francesco Bagnasco sia De Majo sia gli alti comandi borbonici non avevano dato orecchio, meno che mai glielo poteva dare il maggiore Emanuele Sarzana che comandava il presidio della Torre alla Borgata Molo. Lì tutto appariva tranquillo, il botto non si era sentito. Scrisse Marullo: «nessun fuoco di odii animava i buoni e pacifici cittadini. Avevano essi sentito parlare di libertà, ma di questa dea fascinante non intuirono che il mistero del nuovo: essi onesti, laboriosi, ossequienti alle leggi, nulla seppero della tirannide, la quale non li aveva notati e, perciò, non li aveva investiti». Può darsi, ma la Borgata Molo era un paese di mare, ed è risaputo che ogni buon marinaio, prima di alzare la vela, deve calcolare esattamente da che parte tira il vento e sapere se quel vento tiene. Però c'erano, in paese, almeno duecento persone che della «dea fascinante» avevano preciso concetto, e questa «dea» non aveva «il mistero del nuovo», anzi, aveva tutto di vecchio e di conosciuto: la famiglia non più vista da anni, le facce degli amici quasi dimenticate, il ritmo di una camminata fatta in campagna senza la palla al piede, l'odore di una femmina. E loro dall'occhio della tirannide erano stati sì notati, o almeno di questo erano certamente convinti, perché è risaputo che ogni carcerato è pronto a proclamarsi vittima innocente delle macchinazioni del potere.

Devo, a questo punto, affidarmi a quella che Leonardo Sciascia chiama la «presbiopia della memoria», non mia, naturalmente, ma della mia nonna paterna Carolina Camilleri la quale, nata una decina d'anni dopo quei fatti, se li sentì contare e ricontare, bambina, da sua madre. Perché c'è da dire che Marullo – allineandosi ad una specie di congiura del silenzio di cui cercheremo di capire le ragioni – sulla strage della Torre è vago, impreciso, e addirittura, con parola alla moda, depistante.

La quarantottesca rivolta degli abitanti della Borgata inizialmente – sempre secondo Marullo – «non si ridusse che allo scampanellare del tempio ed un vociare incomposto di abbasso e di evviva a perdersi tra la collina e il mare». È vero, ma bastò perché una squadra di forzati, quella che era addetta ai lavori agricoli, sopraffatte le guardie, si desse alla fuga. La notizia arrivò in un attimo in paese e fece sprofondare nel terrore i notabili e i commercianti, che si barricarono in casa. I forzati infatti andavano bene fino a che se ne restavano incatenati al «rastiglio», ma, una volta liberi, tornavano potenzialmente ad essere gli assassini che una volta erano stati (e sia pure con buone attenuanti, altrimenti avrebbero penzolato da una forca). Di colpo, rispetto al paese che contava, erano diventati pericolosi corpi estranei.

Allora, visto che si cominciava a sentire feto di bruciato, pure Sarzana si inserrò nella Torre con i suoi soldati e con gli ergastolani, sicuramente maledicendo il giorno in cui, trecent'anni prima, era stata decisa l'abolizione del ponte levatoio. Ma non mancò di inviare una pattuglia di quelli che riteneva coraggiosi volontari a ricatturare i fuggitivi. Riteneva, perché qualche ora dopo la pattuglia fece ritorno alla Torre dimezzata (mancava perfino il capoguardia) e senza gli evasi: non che i mancanti avessero trovato eroica morte sul campo, ma semplicemente avevano preferito disertare, e a questo scopo si erano offerti volontari per la sortita. La mattina dopo, visto che degli ergastolani scappati in paese non era rimasto manco l'ombra, la vita nella Borgata tornò ad essere normale, con Sarzana sempre intanato dentro la Torre. Ma il giorno 25 arrivò la notizia che De Majo se ne era andato dal palazzo reale di Palermo e che De Sauget con i suoi cinquemila soldati stava faticosamente ritirandosi su Messina.

A quel momento, in realtà, De Sauget si preparava a imbarcarsi con i suoi a Solanto, a una trentina di chilometri da Palermo: dato che per raggiungere Villa Abate, invece di otto ore, ce ne aveva messe venti – perché gli sparavano da tutte le parti – si era ormai fatto persuaso che Messina l'avrebbe vista solamente in cartolina. Sicché a rappresentare il regno borbonico in Sicilia rimanevano il forte di Castellammare, la Cittadella di Messina, la Torre della Borgata Molo, e qualche altra fortificazione sparsa, che praticamente non erano in condizioni di svolgere un'azione comune, ammesso che ne avessero sentito la voglia. I borbonici rimasti in Sicilia erano in sostanza degli assediati.

E a rendere concreto l'assedio, al tramonto del giorno 25, una folla di un centinaio di persone si spinge, vociando, sotto le mura della Torre. È sbagliato credere che gli abitanti marinari della Borgata avessero deciso che il vento della rivoluzione teneva: in mezzo a quella gente i borgatanti veri e propri saranno stati una trentina, la maggior parte dei quali «saccaroli», vale a dire trasportatori di sacchi, quelli che in paese svolgevano il lavoro più duro ed erano i meno pagati. «In quei giorni erano arrivati molti forastieri» contava mia nonna. E si spiega: parenti e amici avevano avuto tutto il tempo di correre dai loro paesi alla Borgata per organizzare la liberazione dei forzati, e molti di questi forestieri, approfittando dell'ammoino generale, erano arrivati armati. Mentre questo centinaio di persone avanza verso la Torre, notabili, borghesi e commercianti tornano a barricarsi e accendono lumini alla Madonna iniziando novene perché il tentativo di attacco alla Torre non riesca (e speciali preghiere avranno elevato gli appaltatori del lavoro degli ergastolani). Quando i carcerati sentono le voci da fuori, eccitatissimi, non sapendo precisamente quello che sta succedendo ma comprendendo che comunque sia qualcosa si muove a loro favore, si mettono a fare un tirribìlio di voci e rumori.

Di fronte a questa situazione, Sarzana, contrariamente a quanto pensa Marullo, non perdette la testa né fece ciò che fece mosso da cieca rabbia. Capì subito infatti che se tutti gli uomini gli servivano per parare il pericolo esterno, bisognava che a sorvegliare i carcerati non restasse manco un soldato. Ordinò quindi che a botte, a colpi di calcio di fucile, a catenate, tutti i forzati sparsi per la Torre fossero obbligati a calarsi nella fossa comune. «Gli fu facile incalzarli per le corsìe, incalzarli per le scale, incalzarli sempre, finché non li ebbe serrati in una fossa assai angusta. Erano centocinquantasei, e, in quella fossa, quel carnaio umano vi brulicava». Così Marullo, ma ritengo che concentrare gli ergastolani non sia stata impresa da poco, considerato lo stato di esaltazione in cui quelli si erano messi (in quanto al numero degli inserrati, è da ritenere che fossero qualche decina in meno). Una volta al sicuro gli ergastolani, Sarzana comandò ai soldati di salire sulla terrazza, attraverso la scala che era dentro il cilindro, e di isolare poi la scala stessa con le due chiusure, quella superiore e quella inferiore, per evitare di essere attaccato alle spalle se, per caso, i galeotti fossero riusciti a scardinare la grata della fossa comune.

«La scala è fatta isolare» scrive infatti Marullo e così come non si era reso conto dell'utilità del cilindro in muratura, non si rende nemmeno conto adesso che isolare la scala significa, in altri termini, chiudere l'unica presa d'aria della fossa comune. A questo punto dalla folla comincia a partire qualche colpo di fucile e per i soldati dare la risposta si presenta subito difficile: la Torre non ha mai avuto merli dietro cui ripararsi, sparare dalla terrazza significa perciò alzarsi in piedi ed esporsi per qualche secondo al fuoco avversario protetti solo a metà dalla balaustrata che corre torno torno. La sparatoria, che non può ottenere apprezzabili risultati da una parte e dall'altra, si allunga nel tempo fiaccamente. Quanto basta però perché i forzati nella fossa vengano a trovarsi completamente senz'aria.

Quando stima che tutti i tonni hanno seguito il percorso obbligato delle reti della tonnara, il raisi, il capopesca, calcolati quanti ne sono entrati dentro la camera della morte – così si chiama l'ultima rete – ordina l'inizio della mattanza. Dandosi tempo e forza con la voce, i pescatori, che sono sulle barche a perpendicolo sulle quattro pareti della rete, cominciano ad alzarla. Via via che questa si solleva, i tonni vengono portati verso l'alto. Le bestie non si rendono conto perché l'acqua attorno a loro diventa sempre di meno, non capiscono quale sia la forza che, volere o non volere, li spinge alla superficie. Presi dallo spavento, reagiscono come possono, cominciano ad agitarsi, a correre avanti e indietro in una fuitìna senza senso, a sparare colpi di coda all'urbina, a dare testate a chi viene viene. In poco tempo i tonnaroti vedono il mare condensarsi: dove prima c'era acqua salata ora squame, pinne, code, fianchi, luccicano al sole in un movimento sempre più convulso dettato dal panico crescente. Poi, i più deboli cominciano a cedere, si rassegnano, si rigirano, offrono all'arpione il bianco del ventre. Infatti gli arpioni e le fiocine che i tonnaroti tengono in mano non servono, come si può credere, per ammazzare i tonni, ma semplicemente per tirarli dentro le barche quando essi sono mezzi morti, boccheggianti per la privazione del loro elemento naturale, cuore, fegato, pancia scoppiati e tagliati come da cento lame entrate dentro il corpo.

Contrariamente ai tonni che muoiono in uno spaventoso silenzio, i forzati fanno voci da disperati. Sarzana a un certo punto sente che il registro di quelle urla è cambiato e manda due soldati a vedere cosa sta succedendo. I soldati glielo riferiscono e gli dicono magari che la grata rischia di cedere sotto la pressione dei carcerati letteralmente impazziti per la mancanza d'aria. Perciò il maggiore capisce di non avere più via d'uscita: farli uscire ora come ora dalla fossa è uguale a liberare cento gatti inferociti da dentro un sacco all'interno di una stanza, il minimo che possono fare è saltargli agli occhi; lasciare aperta la presa d'aria non si può nemmeno, con la grata che sta per cedere. L'unica è alleggerire la pressione che contro di questa i forzati esercitano: dà ordine, allora, di lanciare tre petardi nella fossa e di isolare nuovamente, subito dopo, la scala. Capisce magari che, così facendo, viene a mettersi in una botte di ferro: se i carcerati muoiono, nessuno potrà sostenere che in lui c'era la volontà di fare una strage, isolare la scala era necessario per la difesa della Torre, se la piglino con l'architetto che nel Cinquecento la costruì, o si fa una scala o si fa una presa d'aria.

Il botto dei tre petardi sparati all'interno raggiunge gli assedianti i quali, poco dopo, sentono progressivamente affievolirsi le voci degli ergastolani. Dalla folla allora non sparano più, tutti si rendono conto che qualcosa di grave deve essere accaduto e questo, invece di aizzare la violenza, la tramuta in una sorta di sudata perplessità. Manco i soldati dalla terrazza tirano più colpi. «La popolazione» scrive Marullo «fatta per ansia muta, intuisce, si smarrisce e si dirada silenziosa ad occultare tra le atterrite famiglie, il tormento angoscioso della propria anima, in cui la sospettata sciagura gravava già col rimorso di una colpa inconsapevolmente commessa!».

E ci siamo in pieno, le carte in tavola cominciano a cambiarsi: la colpa, sia pure inconsapevole – perché Marullo sostiene che ad uccidere i forzati furono i tre petardi, ma possono tre petardi ammazzare centocinquantasei persone, ché tante Marullo ritiene ce ne fossero, sia pure costrette in uno spazio angusto? – la colpa dunque ricade sui paesani che si erano rivoltati contro l'ordine e sui parenti dei carcerati che avevano cercato di liberarli. Questa chiamata di correo sono certo che avrà trovato in quelle ore molti sostenitori in paese: è comunque uno dei pilastri sui quali poggia la congiura del silenzio intorno alla strage.

I soldati di De Majo che giorno 24 avevano abbandonato Palermo diretti al quartiere di De Sauget, giunsero, lo si è detto, «più morti che vivi», durante la marcia erano stati continuamente fatti segno ad un'intensa fucileria da parte degli insorti e loro non avevano potuto fare altro che accelerare la camminata, perché la presenza nella colonna di donne e bambini rendeva impossibile l'organizzazione di un principio di difesa. Manco per le truppe di De Sauget, che si affrettavano verso il posto di imbarco, la marcia fu acqua di rose, praticamente passarono da un'imboscata all'altra, contadini appostati sulle colline, insorti da dietro cespugli e pietroni, facevano un fuoco d'inferno. Però i soldati di De Sauget agli attacchi rispondevano con prontezza e magari con raggia: si sentivano cadere la faccia per terra ad essere obbligati a ritirarsi da una fazzolettata di pezzenti e perciò appena uno dei ribelli era preso, non aveva manco il tempo di fare biz che veniva trucidato. Per buon peso, e com'è festosa tradizione di tutti gli eserciti in ritirata, i soldati diedero fuoco a decine di case e scannarono molti capi di bestiame (però i contadini si rifecero con le centinaia di cavalli che De Sauget ordinò di lasciare a terra al momento dell'imbarco). Questi feroci combattimenti non impedirono che, qualche giorno dopo, al momento della resa, il colonnello Gross, passando in mezzo a due file di palermitani, dovette – secondo quanto testimonia Lord Mount Edgcumbe – «spesso curvare la gigantesca figura per porgere il volto segnato dalle intemperie al bacio di certe bocche baffute e sporche il cui contatto non poteva riuscire gradevole neppure in un paese ove gli effusi abbracci fra uomini sono abbastanza comuni». Lo stesso Lord si meraviglia invece per la scanna compiuta dai palermitani a danno degli sbirri. «Parrebbe incredibile che un popolo, dopo aver dato prova di buoni sentimenti sotto tanti altri aspetti, potesse divertirsi a trascinare per le vie i cadaveri delle vittime, permettendo ai bambini di partecipare alla loro obbrobriosa mutilazione, come se si fosse trattato di un gioco». Lo stesso Giuseppe Pitrè racconta che «fanciullo ancora» venne condotto alla spiaggia del Castello a mare e vide i corpi degli sbirri «orribilmente mutilati e cincischiati» galleggiare sulle acque. A scatenare questa violenta reazione influì certamente la scoperta di cadaveri antichi e recenti dentro i posti di polizia e l'agghiacciante visione di una certa quantità di strumenti di tortura che si sapevano usati spesso e volentieri. Qualche storico ha magari scritto che gli sbirri vennero scannati perché erano considerati simbolo del potere. D'accordo, non c'è niente di più pericoloso del passaggio da persona a simbolo, ma io ritengo, attenendomi a un detto meridionale, «u cumannári è megliu do fùttiri», che, concretamente e non simbolicamente, gli sbirri avessero scatenato tutta la loro fantasia per ottenere variati orgasmi dal loro «cumannári».

Quando però una folla di circa quattromila persone occupò le prigioni di Sant'Anna e si impadronì degli sbirri che vi erano incarcerati, non si fece giustizia sommaria. Pasquale Calvi, nelle *Memorie storiche*, rammenta che si istituì una specie di tribunale popolare e i pochi che, «in mezzo all'abjetta melma, eransi mantenuti, portentosamente, mondi di colpa, furono per acclamazione gridati onesti e lasciati incolumi». E siccome sui giudizi dei tribunali, popolari e no, bisogna farci tanto di tara, m'immagino quante private vendette, quanti sgarbi e risentimenti si saranno, per l'occasione, travestiti da imparziale giustizia. Lo concedo ad Harold Acton, per il quale, anche ammesso che negli uffici di polizia si fossero rinvenuti degli scheletri, risulterebbe assai arduo «giustificare l'implacabile massacro compiuto dalla folla inferocita».

Nella Torre della Borgata Molo il maggiore Sarzana non aveva qualche scheletro nell'armadio ma più di un centinaio di morti caldi caldi in cantina. Non era certo uno sbirro, era un soldato che però da sbirro aveva ragionato e agito: la divisa quindi non avrebbe potuto scansarlo dalla furia popolare.

Invece se la scapolò. Ma su come andò veramente la faccenda bisogna congetturare cum juicio (anzi, con una fantasia temperata dal juicio) e con una buona dose di prudenza, un piede leva e l'altro metti.

Rifacciamoci intanto a Marullo, da me conosciuto che ero ancora picciotto, e mi dispiace di non poterlo avere davanti ora per ragionarci assieme; così, a basarmi solamente su quanto ha lasciato scritto, mi pare di non fare cosa giusta, di approfittarmi del silenzio di uno che da vivo meritò considerazione e rispetto (il che dimostra che non ho testa e stomaco di certi storici, i quali basano buona parte della loro scienza sul fatto che i morti non possono replicare). Nella paginetta e mezza che Marullo dedica all'ammazzatina dentro la Torre, ci sono, a mio parere, una quantità di cose equivoche o sbagliate.

Anzitutto, il numero dei morti. Marullo sostiene che, al momento in cui furono obbligati a calarsi nella fossa comune (che da lì a poco avrebbe cambiato segno, diventando fossa comune nell'atroce accezione mortuaria alla quale, da Katyn in poi, ci hanno abituato foìbe e chiarchiàri di ogni parte del mondo) i forzati erano in centocinquantasei. Ma il registro degli atti di morte della Borgata Molo (sul quale avremo modo di ritornare) ne elenca in bell'ordine centoquattordici. Al momento in cui i nomi degli assassinati vennero ufficialmente trascritti, non c'era più motivo di fare i giochi delle tre carte, ed è curioso che Marullo, podestà e sindaco, che aveva accesso a tutti gli atti, non si attenga al registro. O forse Marullo vuole lasciar capire che quarantadue forzati rimasero vivi nella fossa malgrado i petardi e la mancanza di ossigeno? Mi pare improbabile; una volta liberi, ancora con la spaventosa morte dei loro compagni davanti agli occhi, quei quarantadue sopravvissuti, per quanto assassini e delinquenti e quindi, come si crede, gente con tanto di pelo sullo stomaco, avrebbero scatenato un tananai tale da farsi sentire all'altro capo del mondo.

Ancora più curiosamente, Marullo sbaglia pure la data in cui avvenne il massacro. Scrive infatti che «era l'alba del 18 gennaio», ma Gaetano Attard ripete ben centoquattordici volte, nel suo registro, «morto nella notte dal 25 al 26». E, a parte la data, concedere, a naso, dodici ore di agonia per ogni singola morte significa implicitamente smentire l'uccisione per colpi d'arma da fuoco, dato che gli spari cessarono al tramonto del 25. È una sorta di lapsus dell'estensore che così ci suggerisce l'idea di una morte lenta, protratta.

Continuando nella sua esposizione, Marullo afferma che il giorno dopo (e cioè il 19) «è la ferocia che insulta ancora i vivi e i morti! Carri carichi di uccisi, buttati alla rinfusa, l'uno sull'altro – teste e gambe penzoloni – le carni violacee, sanguinolenti ancora, lacerate dalle schegge delle bombe, passano per l'unica via del paese, per trovare sepoltura su la lontana spiaggia, come se responsabili essi fossero della loro morte violenta e, perciò, dovesse essere loro negata la pace nel cimitero del paese! Carri molti passarono così, tra il profondo cordoglio della nostra gente, che nel proprio cuore non trovò che una prece pietosa per le vittime infelici».

La descrizione è efficace, ma lasciatemi capire. Dunque, dopo un pomeriggio e una serata di sparatoria e dopo avere bene o male ammazzato centoquattordici persone che però nessuno del paese ha visto ammazzare, il maggiore Sarzana, fresco come un quarto di pollo, il giorno dopo, quando pare che le acque si siano calmate, riattizza il fuoco (o rischia di riattizzarlo) con la conferma delle peggiori supposizioni che i paesani avevano potuto fare: mostrando cioè a tutti i risultati della sua bella pensata esposti su almeno quindici carretti (ché tanti, senza essere un tecnico, calcolo dovessero occorrerne per il trasporto dei corpi). Di più, il maggiore Sarzana fa la faccia feroce, tanto da ordinare che i morti non siano seppelliti in terra consacrata. E in tutto questo, con la porta della Torre che si sarà pure aperta per lasciar passare carretti su carretti, i buoni indigeni se ne stavano, secondo Marullo, a recitare devozioni. A meno di non ipotizzare in Sarzana un desiderio d'autopunizione da manuale psicoanalitico e negli abitanti della Borgata una remissione confinante con la santità, la versione non regge.

La presbiopia mnemonica di Carolina Camilleri metteva a fuoco una frase precisa a questo momento del racconto che faceva a me ragazzo: «il comandante della Torre ci ittò la calce viva sopra i morti della fossa. Ma siccome la calce non era bastevole, non ce la fece a mangiarseli tutti. Così, quando Sarzana scappò, una poco di morti venne seppellita alla Crocetta».

Secondo quest'altra versione, più credibile, il trasporto di alcuni morti solamente ci fu sì, ma molti giorni dopo. Coincide però il luogo del seppellimento: la spiaggia proprio sotto il Caos, il posto dove nascerà Pirandello. Per indicare che lì c'erano dei morti, ci misero una croce di legno e per questo la località, che prima era anonima, da allora in poi si chiamò «'a crucidda». Molte ossa infatti vennero rinvenute sotto quella croce quando si dovette spalare, una cinquantina d'anni dopo, per la costruzione della stazione ferroviaria: i resti furono allora trasportati nella fossa comune del cimitero. Si vede che per i galeotti era destino, da vivi e da morti, passare da una fossa comune all'altra. Ma se le cose stanno così, allora l'ordine di seppellimento in terra non consacrata non fu certamente dato da Sarzana e dubito che ne avrebbe comunque avuto l'autorità. Mi sono fatta la convinzione che quell'ordine non ci fu, ci fu semmai accesa consultazione fra i notabili della Borgata sul posto più opportuno per il seppellimento. Perché sul fatto che i forzati assassinati dovessero essere seppelliti alla larga del paese non c'era da perderci fiato e parola: con le loro colpe si erano da vivi messi fuori dalla società, e fuori dalla società dovevano restare da morti. Al massimo, si poteva pregare per loro e metterci, da cristiani, una croce sopra.

Anche metaforicamente.

Sempre secondo Marullo, in quello stesso giorno 19, verso sera, il maggiore Sarzana fu arrestato «dai militi venuti da Girgenti» e al capoluogo condotto, dopo essere passato per la via della Borgata «fra due fitte ali di popolo, fra le imprecazioni più amare. Sul terreno, le stille di sangue, cadute dai carri insanguinati, pareva gli leggessero l'inesorabile atto d'accusa davanti a Dio e agli uomini». E qui ho più che mai bisogno di capire. Cominciamo col domandarci di quale milizia facessero parte quei soldati scesi da Girgenti come angeli vendicatori. Borbonici manco a parlarne, non credo che nemmeno alla data indicata da Marullo (il 19) ne esistessero ancora di così eroica buona volontà da portarsi a otto chilometri di distanza per effettuare un arresto. E poi, arresto di chi? Di un ufficiale superiore del loro stesso esercito che aveva compiuto un atto di guerra e che fino alla sera avanti stava a sparare da quella che, ai loro occhi, era ancora e a tutti gli effetti la parte giusta. E l'ordine di arresto da chi era stato impartito e in base a quali accuse? Perché da qui non si scappa: se i morti non erano stati ancora portati fuori dalla Torre (e abbiamo visto come ciò sarebbe stato insensato), tutto si riduceva a dicerie, a supposizioni. Ed è difficile immaginare un Sarzana che, alla vista di quei militi, apre docilmente la porta a suoi subalterni, mostra loro lo scempio e porge i polsi ai ferri. Ancora più difficile pensare a un Sarzana sconvolto dal rimorso che invoca i suoi perché vengano ad arrestarlo e a infliggergli la giusta punizione, e addirittura arduo e romanzesco supporre che i militi, sapendo che Sarzana mai e poi mai avrebbe aperto la porta della Torre si siano presentati come rinforzi e poi, una volta dentro, siano saltati addosso al maggiore. Ma gli altri soldati, almeno quelli che hanno tirato materialmente i tre petardi, dove sono intanto andati a finire? Scomparsi nel nulla; sicché quasi quasi è Sarzana a fare cento parti in commedia: è lui che spara sulla folla, è lui che chiude le botole della presa d'aria, è lui che lancia i tre petardi. Mi sembrano francamente tutte cose di vento. D'altra parte a quella data non esisteva una milizia della Sicilia repubblicana ed immaginare comunque che Sarzana si fosse ad essa arreso buono buono è fantasia più ardita di quella che scomoda i soldati borbonici e li veste da giustizieri.

«Tragediatore» è, dalle parti nostre, quello che, in

ogni occasione che gli càpita, seria o allegra che sia, si mette a fare teatro, adopera cioè toni e atteggiamenti più o meno marcati rispetto al livello del fatto in cui si trova ad essere personaggio. La sua «interpretazione» ha in genere lo scopo di sollecitare non tanto il consenso quanto la partecipazione più pronta e attiva da parte di coloro che alla scena si trovano ad assistere. Se il tragediatore è veramente capace (e ci vuole un orecchio estremamente fino per distinguere, che so, tutto un allegro passato di corna messe a tinchitè nelle urla disperate di una vedova apparentemente prossima al suicidio) allora il consenso degli astanti è come un premio, una gratifica; tutti sono pronti, come si dice in gergo teatrale, a mettersi a fare da spalla, a dare la battuta giusta al tempo giusto. So bene che il «tragediatore» altrove viene più semplicemente chiamato «commediante», ma perché da noi si preferisca tirare in ballo la tragedia piuttosto che la commedia è cosa così caratterialmente ovvia – e spiegata in centinaia di libri di pensiero e di fantasia – che non è manco il caso di perderci altro fiato sopra: «inevitabilmente noi ci costruiamo», dice Angelo Baldovino al marchese Fabio Colli nel *Piacere dell'onestà,* ma io sono matematicamente sicuro che Pirandello sottintendeva che il materiale col quale noi siciliani preferiamo costruirci è il legno ebano lucidato a nero, proprio quello delle bare, dei tabbuti. Succede magari con qualche frequenza che a diventare «tragediatore», per gioco o per necessità, sia tutto un paese anziché una singola persona. Similmente a quanto avveniva nel Medioevo per la preparazione di una sacra rappresentazione, che la totalità degli abitanti di un paese collaborava all'allestimento, rimettendosi nelle mani di un capintesta e abbandonando momentaneamente ogni carica e ruolo, così personalmente almeno in una occasione ho visto una intera comunità – dal sindaco alle forze dell'ordine – dare mano a un tale che aveva scoperto un ladro forestiero in procinto di compiere un furto. Il ladro venne nascostamente agevolato da tutti fino al felice compimento dell'impresa: ma quando si trovò con la refurtiva sulla pubblica piazza fu subissato da un coro di fischi e pìrita. E mi è giunta voce che, negli anni di questo secondo dopoguerra, una giovane e bionda deputatessa di un partito di sinistra si era intestata a tenere un comizio in un paese saldamente governato dalla mafia, e dove gli elementi di idee pericolosamente più avanzate erano i liberali repubblicani: del partito al quale apparteneva la deputatessa non se ne trovava uno manco a pagarlo a peso d'oro. Della situazione venne avvisato il capomafia, il quale disse che non si poteva essere così scortesi da impedire il comizio a una bella signora. La deputatessa arrivò nel giorno stabilito, trovò la piazza che era un mare di bandiere rosse e di persone messe una sopra l'altra come le sarde nella scatola: non faceva in tempo a finire una frase che gli applausi scoppiavano così fragorosi da fare tremare i vetri. Alla fine venne portata in trionfo.

Tutto ciò premesso, faccio da troppo tempo l'uomo di spettacolo perché la storia di questo arresto di Sarzana non mi puzzi di teatro, non mi feta di guitta messinscena fatta per calmare in qualche modo gli animi. Perché ha voglia Marullo a minimizzare, ma insomma – è lui stesso ad ammetterlo – il giorno prima si spara contro Sarzana e il giorno dopo ci si limita a insultarlo? E quelli che da fuori erano corsi alla Borgata per liberare amici e congiunti forzati, alla vista dei loro cari dilaniati, sempre secondo Marullo, invece di vendicarsi, si rassegnano all'inevitabile. Credo invece che in paese regnasse molta tensione, c'era il rischio che un secondo attacco potesse avere maggior successo. Ci viene dunque raccontato che l'arresto si svolse di sera, una sera di inverno, ed è facile supporre che, per di più, l'illuminazione stradale non esistesse ancora. E se è vero che di sera tutti i gatti sono bigi, è altrettanto vero che un cappotto militare e un cappello calcato fino agli occhi rendono indistinguibile un soldato da un altro. Con la mistificazione dell'arresto, si venivano insomma a conseguire due risultati: il primo l'abbiamo detto, di placare gli animi; il secondo, di permettere la sortita degli uomini di Sarzana e di Sarzana stesso, perché altrimenti, senza quell'inganno, il maggiore dentro la Torre avrebbe potuto farci i vermi. Solo allora, con Sarzana al sicuro, qualcuno dei maggiorenti avrà dato l'incarico a pochi uomini fidati di entrare nella Torre e di recuperare quei cadaveri che la calce aveva risparmiato. E Marullo la teoria dei carri sanguinolenti la conta giusta, solo che non ne afferra il significato. I carretti vengono fatti passare dall'unica via del paese (e non dalla spiaggia, a taci maci, quasi di nascosto, come sarebbe più opportuno) proprio perché tutti possano vederli. È un tocco registico da maestro al quale faccio tanto di cappello: quella tremenda realtà colorerà di verità i finti ferri ai polsi del maggiore.

(Qualcuno potrà rimproverarmi di avere, durante questa ricostruzione, abbandonato il juicio a favore della fantasia. E va bene, niente finto arresto. Propongo una soluzione meno romanzesca e cioè che solo la voce dell'arresto sia stata messa in circolazione, ottenendo in definitiva gli stessi risultati. Sarzana e i suoi furono fatti uscire nottetempo dalla Torre: il giorno dopo venne detto in giro che «militi venuti da Girgenti» se l'erano portato al capoluogo. E invece Sarzana se ne stava provvisoriamente, in attesa degli eventi, in qualche casa amica, ché buone amicizie in paese il maggiore sicuramente se n'era fatte).

«Sarzana se ne scappò» era la testarda affermazione della signora Carolina Camilleri. Il 4 febbraio, una nave da guerra borbonica segnalò al Forte di Castellammare di arrendersi, e il colonnello Gross obbedì. Lo stesso giorno un'altra nave da guerra napoletana arrivò alla rada della Borgata e segnalò qualcosa alla Torre. Poi, o perché non aveva ricevuto risposta o perché l'aveva ricevuta benissimo da qualche altra parte, dalla nave si staccò un canotto che diresse verso la riva. Mentre da bordo si tenevano i cannoni puntati sul paese, dalla lancia scesero il comandante della nave e alcuni uomini dell'equipaggio, armatissimi. Fuori dalla grazia di Dio, l'ufficiale spiegò a Gaetano Attard (sì, proprio lui, vuoi perché uomo pubblico e vuoi perché – evidentemente – miglior chiodo del carretto) che gli abitanti avevano otto ore per abbandonare le loro abitazioni, dopo di che, a cannonate, manco una casa della Borgata sarebbe rimasta in piedi. E se ne tornò sulla nave. Ci furono frenetiche reazioni. I notabili e i commercianti, che disponevano di cavalli e carrozze, presero per il sì e per il no il fuiuto verso le campagne; Guglielmo Peirce, console inglese, salì sul tetto di casa sua e isò una bandiera alta quattro metri in modo che quelli della nave sapessero a quali complicazioni internazionali andavano incontro se colpivano quelle mura. Ricordandosi di colpo della loro origine maltese, magari i Camilleri, i Bouhagiar, gli Hamel, i Cassar batterono bandiera. Non mancò di farlo pure Gaetano Attard, maltese come gli altri: però, subito dopo, passò all'azione. Ingaggiata una lancia con due vogatori e issatavi la bandiera inglese, si recò a bordo a parlamentare. Mentre la Borgata, sotto gli occhi esterrefatti dei napoletani, i quali credettero d'avere sbagliato rotta, si tramutava di colpo in una cittadina dell'Hampshire nel giorno della festa nazionale, Gaetano Attard parlamentò così persuasivo che la mattina dopo la nave non era più manco all'orizzonte. Lo stesso orizzonte nel quale svaniva pure il maggiore Sarzana.

Il 5 febbraio 1848 Ruggero Settimo, da Palermo, proclama, preso dall'entusiasmo, che un'era di felicità è cominciata per la Sicilia e per i siciliani liberati finalmente dal giogo borbonico e che, di conseguenza, si possono a tutti gli effetti considerare finiti gli orrori della guerra. Il che significa, in parole povere, l'inizio di un pesante travaglio per tutti coloro che gli orrori della guerra, dal morto ammazzato alla vacca sgozzata, dalla casa bruciata al raccolto distrutto, sono per ufficio destinati a valutare.

Come obbedendo a un ordine, il 6 febbraio Gaetano Attard fa istanza al Presidente del Tribunale di Girgenti (lo stesso che era in carica coi Borboni) per la vidimazione di altri centodieci fogli del registro dei morti, validi per duecentoventi decessi. Si mantiene cioè largo, ancora non conosce la precisa consistenza numerica della strage. E per prima cosa c'è da risolvere il problema di chi entrerà nella Torre in veste ufficiale, non solo per il conteggio dei morti, ma soprattutto perché, o Franza o Spagna, o repubblica o monarchia, di un carcere in grado di funzionare c'è sempre necessità. Si ripertica così quel capoguardia che, con la scusa di mettersi alla caccia del gruppo di forzati fuggitivi, era uscito dalla Torre con un plotone e non vi aveva fatto più ritorno, dato che nella Borgata da qualche anno, fra l'altro, aveva messo su casa. Gli viene quindi accollato, non so con quanto suo gradimento, il grado di comandante: ha il compito immediato, conoscendo uomini e cose della Torre, di inventariare i morti, tenendo presente che alcuni giacciono ancora dentro la fossa comune sotto la calce viva e altri invece sono stati trasportati alla Crocetta. Il capoguardia ci si mette d'impegno, tanto che alle ore otto del mattino dell'11 febbraio è in grado di dettare a Gaetano Attard l'elenco definitivo.

Di questi fogli aggiunti, la cui numerazione naturalmente riparte da uno, trascrivo quello della prima facciata, mettendo in corsivo ciò che vi è scritto a penna.

«L'anno mille ottocento quaranta *otto* il dì *undici* del mese di *Febraro* alle ore *otto antimeridiane* avanti di Noi *Gaetano Attard Eletto Aggiunto* ed ufiziale dello Stato Civile del Comune di *Girgenti* Distretto di *Girgenti* Provincia di *Girgenti* sono comparsi ... di anni ... di professione ... regnicolo domiciliato ... e ... di anni ... di professione ... regnicolo domiciliato ... *Abbiamo ricevuto dal Comandante il Deposito Penale di questo Molo notizia* i quali han dichiarato (cancellato a penna) che nel giorno (cancellato a penna) *nella notte dal 25 a 26* del mese di *Gennaro* anno corrente è mort *o* nel *la Fossa di questa Torre Francesco Lentini d'anni ventotto, Sposo di Serafina La Cagnina* nat *o* in *Castelvitrano* di professione *Servo di pena* domiciliato *in questo Bagno* figlio di *del fu Leonardo* di professione ... domiciliato ... e di *della fu Susanna Sanacore* domiciliata ... Per esecuzione della legge ci siamo trasferiti insieme coi detti testimonii presso la persona defunta, e ne abbiamo riconosciuto la sua effettiva morte. Abbiamo indi formato il presente atto, che abbiamo inscritto sopra i due registri, e datane lettura ai dichiaranti, si è nel giorno, mese, ed anno come sopra segnato da Noi. *Di che avendo preso le necessarie dilucidazioni sull'Individuo trapassato, ed esserci assi-*

curato della sua effettiva morte, abbiamo disteso il presente atto, ch'è stato scritto nei due registri, ed indi nel giorno, mese ed anno come sopra da noi firmato Gaetano Attard».

Tanto preciso negli atti di normale amministrazione, qui Gaetano Attard si mette a travagliare alla sanfasò. Accetta per esempio che il testimone della morte sia uno solo, l'anonimo «Comandante il Deposito Penale» (falsissimo, magari notoriamente, testimone, essendo saputo da cani e porci che quando la strage avvenne era assai lontano dalla Torre). Non specifica inoltre le cause della morte (perfino nel caso dei cinque morti forestieri, magari di quelli deceduti a bordo di navi, dice sempre il motivo, coltellata o malattia che sia). In effetti, aggiungendo alla fine che ha preso solo «le necessarie dilucidazioni» senza essersi assicurato di persona «della effettiva morte» e non cancellando con tratti di penna lo stampato, come dire, standard, Gaetano Attard lascia chiaramente capire che, a quel momento, più che un attivo ufficiale di stato civile egli è semplicemente un passivo trascrittore. Naturalmente è costretto a riaprire la rilegatura per inserire i nuovi fogli. Dato però che questi fogli hanno numerazione propria, Attard non può fare altro che collocarli in coda al registro stesso. E poiché le pagine aggiunte sono di misura assai inferiore a quelle normali, capita che, magari nel registro, i forzati assassinati si vengono a trovare non solo a parte rispetto ai morti del paese ma perfino visibilmente «diversi».

Durante l'interminabile trascrizione Attard commise, era inevitabile, alcuni errori. Mi rendo conto che ho scritto una frase che può far nascere qualche equivoco e perciò mi affretto a correggerla. Gli errori di Attard non furono provocati, come qualcuno può supporre, dall'atroce coazione a ripetere, per centoquattordici volte, il sunto, il condensato, di una strage ancora fresca di lacrime e sangue. (E mi sia consentito di immaginarmi qualche brano di dialogo fra il capoguardia e l'ufficiale di stato civile durante la trascrizione: «Questo Gaetano Rizzo chi era, lo scarparo del rastiglio?». «Nonsi, quello si chiamava Renda. Questo lavorava alla cava di pietra»). Invece, fino alla fine dell'elenco, la grafia di Attard si mantiene chiara e svolazzante secondo le regole che allora si insegnavano a scuola. Gli sbagli sono da imputare evidentemente al capoguardia o addirittura al disordine in cui erano tenuti i registri del Bagno penale.

La prima lamentela per questi sbagli è del 1850. In una «fede di morte» risulta del tutto errata la maternità di uno degli assassinati, e il Tribunale di Girgenti, con apposita sentenza, è costretto a provvedere; lo stesso Tribunale viene ancora scomodato nel 1853 perché nella «fede» di Ernesto Bonsignore manca del tutto la maternità. La più sottilmente pericolosa delle istanze però è quella che nel 1854 rivolge al Tribunale la figlia di Francesco Figuccia, che deve pigliare marito. La figlia di Figuccia vuole che nella «fede» risulti che suo padre era sposo di Rosa Alagna, un dato che era stato omesso (singolare che le omissioni o gli errori riguardino solamente il lato femminile delle parentele dei forzati). Fin qui niente di male. Però nell'istanza la giovane, riferendosi al padre, scrive che è «trapassato nelle vicende politiche del 1848». Vale a dire che c'è chi ha piena coscienza che la morte dei forzati dentro la Torre avvenne per ragioni che esulavano del tutto dai motivi per i quali dentro la Torre stessa i carcerati si erano venuti a trovare. Il Tribunale non rileva e si limita a ordinare la correzione dell'atto.

In quello stesso anno 1848, Gaetano Attard, evidentemente da sempre in pectore antiborbonico e repubblicano, fa carriera politica. Dal 15 giugno, da «eletto aggiunto» che era, diventa «presidente municipale» fino all'8 di luglio. Poi passa ad essere «vice presidente municipale» fino al 30 novembre, data nella quale prende a qualificarsi, sul registro, «senatore aggiunto». Poi, come si è già detto, nel 1853 Ferdinando II elevava la Borgata a decurionato e con apposito rescritto gli concedeva «a titolo gratuito tutta la spiaggia, al di qua di un tiro di balestra dal lido, per valersene per concessioni ad uso edilizio e col diritto di riscuoterne i relativi canoni, per dieci anni franchi di tributo fondiario».

Di questo nuovo comune, primo sindaco diventò Gaetano Attard, da sempre evidentemente in pectore antirepubblicano e filoborbonico. Dopo tanti anni che stava dentro alle cose del paese, Attard, che era «signore stimatissimo» secondo Marullo, aveva certamente finito col sapere, dei suoi compaesani, perfino, rispetto parlando, quanti peli avevano nel sedere. Ma di qualcuno, inavvertitamente, si vede che venne a conoscere magari qualche neo che si doveva tenere segreto. Fatto sta che fu rinvenuto sparato, da ignoti e per ragioni rimaste ignote, il 21 aprile 1861, nella località «Molino a vento» nei pressi di Girgenti. Era di bel nuovo nuovamente sindaco: c'è dunque da credere che da sempre, in pectore, era stato un partigiano dell'Unità d'Italia.

Una voce popolare afferma che a carico del maggiore Sarzana ci fu, da qualche parte, un processo. Che siano stati i siciliani o i napoletani a farlo, un fatto è certo (e porta perfino troppa farina al mio mulino): Sarzana venne assolto.

Nel 1853, lo stesso anno in cui Attard, coi Borboni, diventava il primo sindaco del nuovo paese, la rinforzata guarnigione di Licata rendeva gli onori al suo comandante appena arrivato: il colonnello Emanuele Sarzana.

Di quei centoquattordici morti bastò poco tempo perché in paese non se ne parlasse più. Oggetti di pena, erano – allorché uno se ne ricordava – come quegli arnesi sformati dall'uso che, quando si ritrovano coperti di polvere nel tettomorto, non si riesce più a capire a che cosa, una volta, potessero servire.

Per questo, nei giorni in cui l'Europa tremò di sdegno (ma come era pronta, questa Europa, e sensibile!)

per la scanna degli sbirri perpetrata dai siciliani e quando si mise a fare voci perché, il 3 febbraio, alcuni palermitani si erano impadroniti di trentacinque sbirri feriti fucilandoli alla periferia della città, manco un'anima si fece avanti a contare che nella Torre della Borgata Molo erano state ammazzate, da un maggiore borbonico, centoquattordici persone. Perché il nodo stava tutto qui: persone quei galeotti in tutta coscienza non potevano dirsi e dunque – dato che il più carnetta e carogna degli sbirri era pur sempre un essere umano – il conto non poteva in nessun modo pareggiare, era come voler dare un fischietto e avere la pretesa di farsi regalare, in cambio, un pianoforte. Non fu certo orgogliosa e dignitosa volontà di non speculare sui morti: la verità è che c'erano morti di buon peso e altri di peso scarso assai. E questa è una verità che ancora oggi, e a proposito di quei morti freschi di giornata che radio e televisione ci portano come dessert a pranzo e a cena, è assai difficile a dire e difficilissimo poi a fare accettare. «Voi morti non siete tutti uguali», dice a un certo momento Ettore in quella splendida commedia di Jean Giraudoux intitolata *La guerra di Troia non si farà* (battuta che il regime gaullista puntualmente censurava, secondo quanto mi contò il figlio del commediografo).

Quei centoquattordici non erano certamente «uguali»: così non entrarono nella cronaca perché non ne avevano diritto, tutti i diritti se li erano persi il giorno in cui, mettendo piede nel bagno penale, erano diventati «servi di pena». E non entrando nella cronaca, furono di conseguenza scordati dalla Storia. Solo la loro pena furono costretti a servire fino alla morte, fino alla privazione della loro stessa morte e ancora oltre, fino a patire una seconda strage, questa volta non più dei corpi ma della memoria.

dicembre 1982 – gennaio 1983

Come una lunga parentesi

Il botto della rivoluzione del '48 arrivò così soffocato a Pantelleria che quasi quasi manco si sarebbe sentito (del resto l'isola è più vicina alla Tunisia che alla Sicilia) se non fosse stato per certe persone che stavano con l'orecchio appizzato. Erano quelli che avevano parenti in galera e, con maggiore ragione, i pochi liberali che erano stati allevati alle idee antiborboniche dagli esiliati politici che nell'isola venivano mandati a scontare la loro pena. Insomma, sia pure con un ritardo di oltre due mesi rispetto a Palermo, la rivoluzione fece la sua comparsa; si trattò però di una maretta, urla, dimostrazioni, qualche fucile puntato che non lasciò partire un colpo. Lo scarmazzo però fu più che bastevole per il comandante borbonico del Castello, il quale, ottenuto un salvacondotto, si imbarcò con tutta la guarnigione sulla prima nave di passaggio e tanti saluti e sono. Il 26 marzo si costituì un comitato provvisorio per l'amministrazione locale: e, manco a dirlo, non c'era, fra i quaranta membri, uno che fosse uno di sentimenti liberali o repubblicani. Presidente ne era l'arciprete D'Ajetti, vice presidente l'avvocato Francesco D'Ajetti che si era distinto, durante i moti del 1820, per avere inviato al re Borbone cento soldati, «alti e robusti», pagati di tasca sua. In altri termini, i notabili, visto quello che era successo nei primi giorni del mese, si erano prontamente quartiati, facendo sì che tutto tornasse a procedere come se niente fosse capitato né a Pantelleria né nel resto del mondo, Palermo compresa.

Era infatti successo che c'era, nell'isola, un uomo che aveva aperto troppi conti con la gente del luogo: si trattava di don Federico Nedele, ricevitore di dogana e capo della polizia, scapolo e con fama d'inflessibilità. Il galantuomo, difatti, amava sottoporre i colpevoli, prima di spedirli in galera, a pubblico supplizio. Al centro del Piano Piccolo egli aveva fatto mettere uno sgabello e su questo sgabello, a pancia sotto e a culo nudo esposto alla vista, veniva accroccato il condannato per ricevere tante nerbate quante l'estro e gli umori del momento gliene suggerivano: perché il signor ricevitore, essendo del tutto digiuno di codici e pandette, operava, come si usa dire, «a tempesta». Ma non si limitava alle nerbate a sangue; lo storico Angelo D'Ajetti, nel suo *Libro dell'Isola di Pantelleria,* scrive infatti che «altri criminali colpevoli di reati gravi don Federico li aveva fatti finire al patibolo». Così, apparsa sia pure un'ombra della rivoluzione, il primo pensiero di coloro che avevano avuto a che fare con don Federico fu quello di agguantarlo. Ma don Federico si era asserragliato, con la vecchia madre e il fratello uterino Giuseppe Pineda, nella sua villa che stava proprio nel Piano Piccolo (si vede che al ricevitore piaceva fare casa e bottega, in modo che magari la vecchia madre, affacciandosi a una finestra, potesse gettare di tanto in tanto un'occhiata sugli svaghi a nerbate che il figlio organizzava). Ed era tanto bene armato che un primo tentativo di assalto finì a fuiuta generale degli attaccanti. I quali, allora, decisero di fare ricorso a un trainello. In delegazione, si recarono dal pezzo da novanta dell'isola, che era conosciuto assai bene da don Federico, e lo convinsero ad andare a bussare alla porta del ricevitore postale, assicurando che non gli avrebbero torto un capello, volevano da lui solamente qualche spiegazione. Ipotizzare che un pezzo da novanta si comporti come un pesciolino di canna e abbocchi all'amo è far torto alla tradizione stessa della mafia, si vede che c'erano altre ragioni, che noi non conosciamo, perché il mafioso accettasse di andare a battere a quella porta. Riconosciuto il pezzo da novanta, Giuseppe Pineda aprì. Fu allora questione di un attimo: la folla irruppe nella casa, per primo ci lasciò la pelle Pineda con un colpo di pistola, per secondo don Federico il quale, sorpreso, non aveva trovato di meglio che rifugiarsi fra le braccia della madre. Mentre la testa del ricevitore, alzata sulla punta di una spada, percorreva in processione l'abitato, il pezzo da novanta buttava (o fingeva di buttare) fuoco dalle nasche e schiuma dalla bocca per l'inganno di cui si proclamava vittima. La sera stessa si riunirono alcuni uomini «con la testa sulle spalle» (l'espressione è dello storico D'Ajetti).

Il giorno seguente Vito Salsedo, uno che era meglio che scantonavi se lo incontravi da solo e di notte, assunse il comando di un corpo di vigilantes: alla testa del quale, ventiquattro ore dopo, catturò quindici persone che per voce popolare avevano partecipato all'ammazzatina di don Federico Nedele. Li fece inserrare al Castello, tutti dentro una stanza. Nello stesso giorno, su invito di Salsedo, i notabili del paese si bardarono per andare a caccia, ma invece di disperdersi per boschi e colline, convennero al Castello. Aperta la porta della stanza dove stavano i quindici prigionieri, i notabili aprirono il fuoco sul mucchio, in una sorta di paesano safari, massacrandoli tutti. E come si usa per ogni partita di caccia ben riuscita, la domenica seguente, a Buccuram, nella proprietà di Giuseppe Maltese, convenne un'allegra brigata di trecento persone (Salsedo, i suoi uomini e i notabili cacciatori) che si spansarono con una schiticchiata rimasta storica, una gran mangiata e bevuta.

Ai primi di luglio dello stesso anno, com'era prevedibile, Salsedo moriva sparato da mano ignota. Il 26 del mese, il Consiglio Civico deliberava all'unanimità che sulla tomba di Salsedo venisse eretta una lapide «per avere salvato tutti i buoni da imminente pericolo, restituendo alla patria la desiderata tranquillità».

Il parroco di Pantelleria doveva essere sordo e cieco, tanto è vero che nel registro dei defunti della chiesa matrice non sono elencati i nomi dei quindici ammazzati come lepri o come quaglie.

A bene interpretare una frase non chiara di Angelo D'Ajetti («i registri anagrafici del Comune di questa mancano»), c'è da farsi persuasi che il registro municipale dei morti del '48 sia stato da tempo, e ad ogni buon conto, fatto sparire.

I Fenici, che spesso vedevano lungo e chiaro, chiamavano Pantelleria *'Yrnm*, che significa «isola degli struzzi».

Questa specie di lunga parentesi la dedico a Gaetano Attard, del quale sono stato tentato spesso di pensare assai male: lui, almeno, i nomi dei centoquattordici sul registro li scrisse, e il registro conservò.

Appendice

—

Ho spiegato che non ho testa di storico, e me ne rendo conto giunto alla fine, quando m'accorgo che non ho consultato che pochi libri di storia e non ho messo piede in un archivio a cercare carte e documenti. Potrò perciò essere smentito in qualsiasi momento, ma si creda alla mia sincerità se dico che di ogni eventuale smentita sarò contento. A me interessa che la seconda strage, quella della memoria, sia in qualche modo riscattata. E mi si perdoni magari il linguaggio, il suo colore, le sue intemperanze, che da storico certamente non è. Ho tra le mani un solo documento, incontrovertibile: il registro dei morti che ho tanto spesso citato. L'elenco dei nomi è stato trascritto con santa pazienza da Pepé Fiorentino, io non faccio altro che ricopiarlo.

1) Lentini Francesco di anni 28 da Castelvetrano
2) Galluzzo Salvatore di anni 33 da Castelvetrano
3) Arnone Salvatore di anni 30 da Sommatino
4) Amorello Francesco Paolo di anni 53 da Caltanissetta
5) Amodeo Antonino di anni 42 da Palermo
6) Cucchiara Antonino di anni 36 da Salemi
7) Dialupo Giuseppe di anni 45 da Alcamo
8) Turriciano Paolo di anni 30 da Calatafimi

9) Asta Giuseppe di anni 33 da Salemi
10) Amodeo Isidoro di anni 34 da Misilmeri
11) Alessi Giuseppe di anni 43 da Valledolmo
12) Bianco Nicolò di anni 33 da Gibellina
13) Bottitta Salvatore di anni 36 da Leonforte
14) Bonsignore Liborio di anni 38 da Sommatino
15) Bonincontro Giuseppe di anni 48 da Barrafranca
16) Augugliaro Giuseppe di anni 31 da Monte San Giuliano
17) Cefalia Saverio di anni 34 da Piana dei Greci
18) Calatabellotta Gaetano di anni 25 da Lercara
19) Curcio Castrenzio di anni 39 da Monreale
20) Castelli Nicolò di anni 44 da Trapani
21) Culmo Carmelo di anni 36 da Niscemi
22) Cornuccio Vincenzo di anni 37 da Chiusa
23) Cammarata Antonino di anni 37 da Salemi
24) De Marco Calogero di anni 27 da Mistretta
25) Diana Pietro di anni 30 da Villarosa
26) Diana Alberto di anni 30 da Monte San Giuliano
27) D'Aguanno Carlo di anni 34 da Monte San Giuliano
28) De Francisci Giuseppe di anni 22 da Palermo
29) D'Angelo Giuseppe di anni 29 da Salemi
30) De Franco Benedetto di anni 56 da Lonci
31) D'Affronto Francesco di anni 31 da Misilmeri
32) D'Anna Luciano di anni 35 da Corleone
33) De Pasquale Fortunato di anni 41 da Rodi
34) Denaro Vito di anni 28 da Mazara
35) D'Angelo Benedetto di anni 29 da Barrafranca
36) Dibetta Giuseppe di anni 28 da Palermo
37) Fusco Giacomo di anni 27 da Termini
38) Furnari Paolo di anni 36 da Palermo
39) Farinella Giuseppe di anni 30 da Santa Catarina
40) Fasulo Pietro di anni 30 da Partanna
41) Figuccia Nicolò di anni 44 da Palermo
42) Figuccia Francesco di anni 47 da Marsala
43) Figuccia Giuseppe di anni 37 da Marsala
44) Foderà Antonino di anni 29 da Mazara

45) Flama Paolo di anni 29 da Piazza Armerina
46) Giammarinaro Giuseppe di anni 25 da Castellammare
47) Giglio Salvatore di anni 39 da Salemi
48) Garao Benedetto di anni 29 da Piazza Armerina
49) Garlisi Francesco di anni 50 da Vita
50) Gagliano Domenico di anni 29 da Bagheria
51) Bonsignore Ernesto di anni 33 da Castelvetrano
52) Indelicato Ignazio di anni 36 da Marsala
53) Lombardo Paolo di anni 35 da Trapani
54) Lo Monaco Antonino di anni 33 da Piana dei Greci
55) Sapio Ignazio di anni 39 da Giuliana
56) Lampasona Calogero di anni 23 da Sommatino
57) Lascari Vincenzo di anni 29 da Piana dei Greci
58) Lo Cicero Giovanni di anni 29 da Sferracavallo
59) Li Puma Alberto di anni 29 da Alimena
60) Monaco Spoto Domenico di anni 30 da Cinisi
61) Marino Giuseppe di anni 32 da Salemi
62) Montalbano Antonio di anni 30 da Bisacquino
63) Melodia Lorenzo di anni 35 da Palermo
64) Mannino Vincenzo di anni 31 da Corleone
65) Montalbano Giorgio di anni 28 da Piana dei Greci
66) Mistretta Stefano di anni 35 da Salemi
67) Miceli Giuseppe di anni 32 da Lercara
68) Massaglia Croce di anni 32 da Leonforte
69) Mineo Giosuè di anni 26 da Marsala
70) Martorana Natale di anni 25 da Palermo
71) Montalto Antonino di anni 30 da Trapani
72) Mandina Francesco di anni 36 da Gibellina
73) Modica Giuseppe di anni 45 da Palermo
74) Macaluso Filippo di anni 29 da Partinico
75) Mangiapane Gaetano di anni 27 da Monte San Giuliano
76) Macaluso Gaetano di anni 26 da Monreale
77) Patti Gaspare di anni 45 da Salemi
78) Petrone Andrea di anni 32 da Alcamo
79) Piacentino Salvatore di anni 57 da Trapani
80) Parrinello Vito di anni 39 da Marsala

81) Perrino Giacomo di anni 37 da Castellammare
82) Pirrone Salvatore di anni 37 da Bisacquino
83) Palazzolo Domenico di anni 32 da Carini
84) Pillitteri Salvatore di anni 38 da L'Anasa (Linosa)
85) Pennino Vito di anni 65 da Alcamo
86) Puleo Felice di anni 47 da Salice
87) Purpora Nunzio di anni 26 da Carini
88) Rinaldi Giovanni di anni 33 da Barrafranca
89) Russo Anselmo di anni 46 da Comiso
90) Rejna Salvatore di anni 36 da Corleone
91) Romeo Giuseppe di anni 38 da Marineo
92) Rizzo Gaetano di anni 34 da Santa Catarina
93) Renda Vincenzo di anni 25 da Alcamo
94) Raggea Salvatore di anni 28 da Montelepre
95) Ransa Francesco Paolo di anni 40 da Piazza Armerina
96) Russo (inteso Messina) Giuseppe di anni 32 da Piazza Armerina
97) Spera Giuseppe di anni 31 da Corleone
98) Suppa Filippo di anni 42 da Calatafimi
99) Schifano Paolino di anni 25 da Sutera
100) Sparta Nicolò di anni 30 da Favignana
101) Spitale Benedetto di anni 38 da Piazza Armerina
102) Senia Giacomo di anni 63 da Favignana
103) Tomaselli Gaetano di anni 43 da Palermo
104) Testuzza Michele di anni 28 da Cirami
105) Terrana Francesco di anni 46 da Serradifalco
106) Torregrossa Modestino di anni 27 da Piazza Armerina
107) Terranova Giovanni di anni 31 da Salaparuta
108) Vena Santo di anni 34 da Gangi
109) Vizzini Custode di anni 39 da Petralia Sottana
110) Zammataro Alfio di anni 31 da Riposto
111) Lissandrello Rosario di anni 32 da Terranova
112) Pomara Vincenzo di anni 34 da Corleone
113) La Duca Pasquale di anni 30 da Vallelunga
114) Larussa Giovanni di anni 32 da Montemaggiore

Indice

La strage dimenticata   7

Come una lunga parentesi   63

Appendice   69

Questo volume è stato stampato
su carta Palatina
delle Cartiere Miliani di Fabriano
nel mese di luglio 2001.

Stampa: Officine Grafiche Riunite, Palermo
Legatura: LE.I.MA. s.r.l., Palermo

La memoria

1 Leonardo Sciascia. Dalle parti degli infedeli
2 Robert L. Stevenson. Il diamante del Rajà
3 Lidia Storoni Mazzolani. Il ragionamento del principe di Biscari a Madama N.N.
4 Anatole France. Il procuratore della Giudea
5 Voltaire. Memorie
6 Ivàn Turghèniev. Lo spadaccino
7 Il romanzo della volpe
8 Alberto Moravia. Cosma e i briganti
9 Napoleone Bonaparte. Clisson ed Eugénie
10 Leonardo Sciascia. Atti relativi alla morte di Raymond Roussel
11 Daniel Defoe. La vera storia di Jonathan Wild
12 Joseph S. Le Fanu. Carmilla
13 Héctor Bianciotti. La ricerca del giardino
14 Le avventure di Giuseppe Pignata fuggito dalle carceri dell'Inquisizione di Roma
15 Edmondo De Amicis. Il "Re delle bambole"
16 John M. Synge. Le isole Aran
17 Jean Giraudoux. Susanna e il Pacifico
18 Augusto Monterroso. La pecora nera e altre favole
19 André Gide. Il viaggio d'Urien
20 Madame de La Fayette. L'amor geloso
21 Rex Stout. Due rampe per l'abisso
22 Fiòdor Dostojevskij. Il villaggio di Stepàncikovo
23 Gesualdo Bufalino. Diceria dell'untore
24 Laurence Sterne. Per Eliza
25 Wolfgang Goethe. Incomincia la novella storia
26 Arrigo Boito. Il pugno chiuso
27 Alessandro Manzoni. Storia della Colonna Infame
28 Max Aub. Delitti esemplari
29 Irene Brin. Usi e costumi 1920-1940
30 Maria Messina. Casa paterna
31 Nikolàj Gògol. Il Vij
32 Andrzej Kuśniewicz. Il Re delle due Sicilie
33 Francisco Vásquez. La veridica istoria di Lope de Aguirre
34 Neera. L'indomani
35 Sofia Guglielmina margravia di Bareith. Il rosso e il rosa

36 Giuseppe Vannicola. Il veleno
37 Marco Ramperti. L'alfabeto delle stelle
38 Massimo Bontempelli. La scacchiera davanti allo specchio
39 Leonardo Sciascia. Kermesse
40 Gesualdo Bufalino. Museo d'ombre
41 Max Beerbohm. Storie fantastiche per uomini stanchi
42 Anonimo ateniese. La democrazia come violenza
43 Michele Amari. Racconto popolare del Vespro siciliano
44 Vernon Lee. Possessioni
45 Teresa d'Avila. Libro delle relazioni e delle grazie
46 Annie Messina (Gamîla Ghâli). Il mirto e la rosa
47 Narciso Feliciano Pelosini. Maestro Domenico
48 Sebastiano Addamo. Le abitudini e l'assenza
49 Crébillon fils. La notte e il momento
50 Alfredo Panzini. Grammatica italiana
51 Maria Messina. La casa nel vicolo
52 Lidia Storoni Mazzolani. Una moglie
53 Martín Luis Guzmán. ¡Que Viva Villa!
54 Joseph-Arthur de Gobineau. Mademoiselle Irnois
55 Henry James. Il patto col fantasma
56 Leonardo Sciascia. La sentenza memorabile
57 Cesare Greppi. I testimoni
58 Giovanni Verga. Le storie del castello di Trezza
59 Henryk Sienkiewicz. Quo vadis?
60 Benedetto Croce. Isabella di Morra e Diego Sandoval de Castro
61 Diodoro Siculo. La rivolta degli schiavi in Sicilia
62 George Meredith. La vicenda del generale Ople e di Lady Camper
63 Bernardino de Sahagún. Storia indiana della conquista di Messico
64 Andrzej Kuśniewicz. Lezione di lingua morta
65 Maria Luisa Aguirre D'Amico. Paesi lontani
66 Giuseppe Antonio Borgese. Le belle
67 Luisa Adorno. L'ultima provincia
68 Charles e Mary Lamb. Cinque racconti da Shakespeare
69 Prosper Mérimée. Lokis
70 Charles-Louis de Montesquieu. Storia vera
71 Antonio Tabucchi. Donna di Porto Pim
72 Luciano Canfora. Storie di oligarchi
73 Giani Stuparich. Donne nella vita di Stefano Premuda
74 Wladislaw Terlecki. In fondo alla strada
75 Antonio Fogazzaro. Eden Anto
76 Anonimo. Storia del bellissimo Giuseppe e della sua sposa Aseneth
77 Vanni e Gian Mario Beltrami. Una breve illusione
78 Giorgio Pecorini. Il milite noto
79 Giuseppe Bonaviri. L'incominciamento
80 Leonardo Sciascia. L'affaire Moro
81 Ivàn Turghèniev. Primo amore
82 Nikolàj Leskòv. L'artista del toupet
83 Aleksàndr Puškin. La solitaria casetta sull'isola di Vasilij
84 Michaìl Čulkòv. La cuoca avvenente

 85 Anita Loos. I signori preferiscono le bionde
 86 Anita Loos. Ma... i signori sposano le brune
 87 Angelo Morino. La donna marina
 88 Guglielmo Negri. Il risveglio
 89 Héctor Bianciotti. L'amore non è amato
 90 Joris-Karl Huysmans. Il pensionato signor Bougran
 91 André Chénier. Gli altari della paura
 92 Luciano Canfora. Il comunista senza partito
 93 Antonio Tabucchi. Notturno indiano
 94 Jules Verne. L'eterno Adamo
 95 Manuel Vázquez Montalbán. Assassinio al Comitato Centrale
 96 Julian Stryjkowski. Il sogno di Asril
 97 Manuel Puig. Agonia di un decennio, New York '78
 98 Victor Zaslavsky. Il dottor Petrov parapsicologo
 99 Gesualdo Bufalino. Argo il cieco ovvero I sogni della memoria
100 Leonardo Sciascia. Cronachette
101 Enea Silvio Piccolomini. Storia di due amanti
102 Angelo Rinaldi. L'ultima festa dell'Empire
103 Luisa Adorno. Le dorate stanze
104 James M. Cain. Il bambino nella ghiacciaia
105 Enrico Job. La Palazzina di villeggiatura
106 Antonio Castelli. Passi a piedi passi a memoria
107 Wilkie Collins. Tre storie in giallo
108 Friedrich Glauser. Il grafico della febbre
109 Friedrich Glauser. Il tè delle tre vecchie signore
110 Mary Lavin. Eterna
111 Aldo Alberti. La Rotonda dei Massalongo
112 Senofonte. Le Tavole di Licurgo
113 Leonardo Sciascia. Per un ritratto dello scrittore da giovane
114 Mario Soldati. 24 ore in uno studio cinematografico
115 Denis Diderot. L'uccello bianco. Racconto blu
116 Joseph-Arthur de Gobineau. Adelaide
117 Jurij Tynjanov. Il sottotenente Summenzionato
118 Boris Hazanov. L'ora del re
119 Anatolij Mariengof. I cinici
120 I. Grekova. Parrucchiere per signora
121 Corrado Alvaro. L'Italia rinunzia?
122 Gian Gaspare Napolitano. In guerra con gli scozzesi
123 Giuseppe Antonio Borgese. La città sconosciuta
124 Antonio Aniante. La rosa di zolfo
125 Maria Luisa Aguirre D'Amico. Come si può
126 Sergio Atzeni. Apologo del giudice bandito
127 Domenico Campana. La stanza dello scirocco
128 Aldo Alberti. La Lega delle Dame per il trasferimento del Papato nelle Americhe
129 Friedrich Glauser. Il sergente Studer
130 Matthew Phipps Shiel. Il principe Zaleski
131 Ben Hecht. Delitto senza passione
132 Fernand Crommelynck. La martingala rovesciata
133 Rosa Chacel. Relazione di un architetto

134 Walter De la Mare. L'artigiano ideale
135 Ludwig Achim von Arnim. Passioni olandesi
136 Rudyard Kipling. L'uomo che volle essere Re
137 Senofonte. La tirannide
138 Plutarco. Sertorio
139 Cicerone. La repubblica luminosa
140 Luciano Canfora. La biblioteca scomparsa
141 Etiemble. Tre donne di razza
142 Marco Momigliano. Autobiografia di un Rabbino italiano
143 Irene Brin. Dizionario del successo dell'insuccesso e dei luoghi comuni
144 Giovanni Ruffini. Il dottor Antonio
145 Aleksej Tolstoj. Il conte di Cagliostro
146 Mary Lamb. La scuola della signora Leicester
147 Luigi Capuana. Tortura
148 Ljudmila Shtern. I Dodici Collegi
149 Diario di Esterina
150 Madame de Vandeul. Diderot, mio padre
151 Ortensia Mancini. I piaceri della stupidità
152 Maria Mancini. I dispiaceri del Cardinale
153 Francesco Algarotti. Saggio sopra l'Imperio degl'Incas
154 Alessandro Manzoni. Quell'innominato
155 Jerre Mangione. Ricerca nella notte
156 Friedrich Glauser. Krock & Co.
157 Cami. Le avventure di Lufock Holmes
158 Ivan Gončarov. La malattia malvagia
159 Fausto Pirandello. Piccole impertinenze
160 Vincenzo Consolo. Retablo
161 Piero Calamandrei. La burla di Primavera con altre fiabe, e prose sparse
162 Antonio Tabucchi. I volatili del Beato Angelico
163 Fazil' Iskander. La costellazione del caprotoro
164 Ramón Gómez de la Serna. Le Tre Grazie
165 Corrado Alvaro. La signora dell'isola
166 Nadežda Durova. Memorie del cavalier-pulzella
167 Boris Jampol'skij. La grande epoca
168 Vito Piazza. La valigia sotto il letto
169 Eustachy Rylski. Una provincia sulla Vistola
170 Jerzy Andrzejewski. Le porte del paradiso
171 Madame de Caylus. Souvenirs
172 Principessa Palatina. Lettere
173 Friedrich Glauser. Il Cinese
174 Friedrich Glauser. Il regno di Matto
175 Gianfranco Dioguardi. Ange Goudar contro l'Ancien régime
176 Palmiro Togliatti. Il memoriale di Yalta
177 Mohandas Karamchand Gandhi. Tempio di Verità
178 Seneca. La vita felice
179 John Fante. Una moglie per Dino Rossi
180 Antifonte. La Verità
181 Evgenij Zamjatin. Il destino di un eretico
182 Gaetano Volpi. Del furore d'aver libri

183 Domostroj ovvero La felicità domestica
184 Luigi Capuana. C'era una volta...
185 Roberto Romani. La soffitta del Trianon
186 Athos Bigongiali. Una città proletaria
187 Antoine Rivarol. Piccolo dizionario dei grandi uomini della Rivoluzione
188 Ling Shuhua. Dopo la festa
189 Plutarco. Il simposio dei sette sapienti
190 Plutarco. Anziani e politica
191 Giuseppe Scaraffia. Il mantello di Casanova
192 Enrico Deaglio. Cinque storie quasi vere
193 Aleksandr Bogdanov. La stella rossa
194 Eáca de Queiroz-Ramalho Ortigão. Il mistero della strada di Sintra
195 Carlo Panella. Il verbale
196 Severino Cesari. Storie per quattro giornate
197 Charlotte Robespierre. Memorie sui miei fratelli
198 Fazil' Iskander. Oh, Marat!
199 Friedrich Glauser. I primi casi del sergente Studer
200
201 Adalbert Stifter. Pietra calcarea
202 Carlo Collodi. I ragazzi grandi
203 Valery Larbaud. Sotto la protezione di san Girolamo
204 Madame de Duras. Il segreto
205 Jurij Tomin. Magie a Leningrado
206 Enrico Morovich. I giganti marini
207 Edmondo De Amicis. Carmela
208 Luisa Adorno. Arco di luminara
209 Michele Perriera. A presto
210 Geoffrey Holiday Hall. La fine è nota
211 Teresa d'Avila. Meditazioni sul Cantico dei Cantici
212 Mary MacCarthy. Un'infanzia ottocento
213 Giuseppe Tornatore. Nuovo Cinema Paradiso
214 Adriano Sofri. Memoria
215 Carlo Lucarelli. Carta bianca
216 Ameng di Wu. La manica tagliata
217 Athos Bigangioli. Avvertimenti contro il mal di terra
218 Elvira Mancuso. Vecchia storia... inverosimile
219 Eduardo Rebulla. Carte celesti
220 Francesco Berti Arnoaldi. Viaggio con l'amico
221 Julien Benda. L'ordinazione
222 Voltaire. L'America
223 Saga di Eirik il rosso
224 Cristoforo Colombo. Lettere ai reali di Spagna
225 Bernardino de Sahagún. I colloqui dei Dodici
226 Sergio Atzeni. Il figlio di Bakunìn
227 Giuseppe Gangale. Revival
228 Alfredo Panzini. La cagna nera
229 Giovanni Boccaccio, Francesco Petrarca. Griselda
230 Adriano Sofri. L'ombra di Moro
231 Diego Novelli. Una vita sospesa

232 Ousmane Sembène. La Nera di...
233 Eugenio Battisti. Il ricordo d'un canto che non sento
234 Wilkie Collins. Il truffatore truffato
235 Carlo Lucarelli. L'estate torbida
236 Michail Kuzmin. La prodigiosa vita di Giuseppe Balsamo, conte di Cagliostro
237 Nelida Milani. Una valigia di cartone
238 David Herbert Lawrence. La volpe
239 Ghassan Kanafani. Uomini sotto il sole
240 Valentino Bompiani. La conchiglia all'orecchio
241 Franco Vegliani. Storie di animali
242 Irene Brin. Le visite
243 Jorge de Sena. La finestra d'angolo
244 Sergio Pitol. Valzer di Mefisto
245 Cesare De Marchi. Il bacio della maestra
246 Salvatore Nicosia. Il segno e la memoria
247 Ramón Pané. Relazione sulle antichità degli indiani
248 Gonzalo Fernández de Oviedo. Sommario della storia naturale delle Indie
249 Pero Vaz de Caminha. Lettera sulla scoperta del Brasile
250 Felipe Guamán Poma de Ayala. Conquista del Regno del Perù
251 Gabriel-François Coyer. Come il prospero Chinki s'immiserì per la ricchezza della nazione
252 David Hume. Il caso di Margaret, detta Peg, unica sorella legittima di John Bull
253 José Bianco. Ombre
254 Marcel Thiry. Distanze
255 Geoffrey Holiday Hall. Qualcuno alla porta
256 Eduardo Rebulla. Linea di terra
257 Igor Man. Gli ultimi cinque minuti
258 Enrico Deaglio. Il figlio della professoressa Colomba
259 Jean Rhys. Smile please
260 Pierre Drieu la Rochelle. Diario di un uomo tradito
261 J. E. Austen-Leigh. Ricordo di Jane Austen
262 Caroline Commanville. Anche mio zio Gustave Flaubert era un letterato
263 Christopher Morley. Il Parnaso ambulante
264 Christopher Morley. La libreria stregata
265 Madame de Grafigny. Lettere di una peruviana
266 Roger de Bussy-Rabutin. Storia amorosa delle Gallie
267 Antonio Tabucchi. Sogni di sogni
268 Arnold Toynbee. Il mondo e l'Occidente
269 Ugo Baduel. L'elmetto inglese
270 Apuleio. Della magia
271 Giacomo Debenedetti. 16 ottobre 1943
272 Antonio Faeti. L'archivio di Abele
273 Maria Messina. L'amore negato
274 Arnaldo Fraccaroli. Tomaso Largaspugna uomo pubblico
275 Laura Pariani. Di corno o d'oro
276 Luisa Adorno. La libertà ha un cappello a cilindro
277 Adriano Sofri. Le prigioni degli altri
278 Renzo Tomatis. Il laboratorio
279 Athos Bigongiali. Veglia irlandese

280 Michail Kuzmin. Le avventure di Aymé Leboeuf
281 Concetto Marchesi. Il libro di Tersite
282 Lorenza Mazzetti. Il cielo cade
283 Marcella Olschki. Terza liceo 1939
284 Maria Occhipinti. Una donna di Ragusa
285 Steno. Sotto le stelle del '44
286 Antonio Tosti. Cri-Kri
287 Daniel Defoe. La vita e le imprese di Sir Walter Raleigh
288 Ronan Sheehan. Il ragazzo con la ferita all'occhio
289 Marcella Cioni. La corimante
290 Marcella Cioni. Il Narciso di Rembrandt
291 Colette. La gatta
292 Carl Djerassi. Il futurista e altri racconti
293 Voltaire. Lettere d'amore alla nipote
294 Tacito. La Germania
295 Friedrich Glauser. Oltre il muro
296 Louise de Vilmorin. I gioielli di Madame de ***
297 Walter De la Mare. La tromba
298 Else Lasker-Schüler. La gatta rossa
299 Cesare De Marchi. La malattia del commissario
300
301 Zlatko Dizdarević. Giornale di guerra
302 Giuseppe Di Lello. Giudici
303 Andrea Camilleri. La forma dell'acqua
304 Andrea Camilleri. La stagione della caccia
305 Robert Louis Stevenson. Lettera al dottor Hyde
306 Robert Louis Stevenson. Weir di Hermiston
307 Dashiell Hammett. La ragazza dagli occhi d'argento
308 Carlo Bini. Manoscritto di un prigioniero
309 Vittorio Alfieri. Mirandomi in appannato specchio
310 Silvio d'Amico. Regina Coeli
311 Manuel Vázquez Montalbán. Il pianista
312 Ugo Pirro. Osteria dei pittori
313 Irene Brin. Cose viste 1938-1939
314 Enrique Vila-Matas. Suicidi esemplari
315 Sergio Pitol. La vita coniugale
316 Luis G. Martín. Gli oscuri
317 William Somerset Maugham. La villa sulla collina
318 James Barlow. Torno presto
319 Israel Zangwill. Il grande mistero di Bow
320 Pierluigi Celli. Il manager avveduto
321 Renato Serra. Esame di coscienza di un letterato
322 Sulayman Fayyad. Voci
323 Alessandro Defilippi. Una lunga consuetudine
324 Giuseppe Bonaviri. Il dottor Bilob
325 Antonio Tabucchi. Gli ultimi tre giorni di Fernando Pessoa
326 Denis Diderot. Il sogno di d'Alembert. Seguito da Il sogno di una rosa di Eugenio Scalfari
327 Marc Soriano. La settimana della cometa

328 Sebastiano Addamo. Non si fa mai giorno
329 Giovanni Ferrara. Il senso della notte
330 Eduardo Rebulla. Segni di fuoco
331 Andrea Camilleri. Il birraio di Preston
332 Isabelle, Véronique e Marc Soriano. Il Testamour o dei rimedi alla malinconia
333 Maurice Druon. Il bambino dai pollici verdi
334 George Meredith. Il racconto di Cloe
335 Sergio Marzorati. Ritorno a Zagabria
336 Enrico Job. Il pittore felice
337 Laura Pariani. Il pettine
338 Marco Ferrari. Alla rivoluzione sulla Due Cavalli
339 Luisa Adorno. Come a un ballo in maschera
340 Daria Galateria. Il tè a Port-Royal
341 James Hilton. Orizzonte perduto
342 Henry Rider Haggard. Lei
343 Henry Rider Haggard. Il ritorno di Lei
344 Maurizio Valenzi. C'è Togliatti!
345 Laura Pariani. La spada e la luna
346 Michele Perriera. Delirium cordis
347 Marisa Fenoglio. Casa Fenoglio
348 Friedrich Glauser. Morfina
349 Annie Messina. La principessa e il wâlî
350 Giovanni Ferrara. La sosta
351 Romain Colomb. Stendhal, mio cugino
352 Vito Piazza. Milanesi non si nasce
353 Marco Denevi. Rosaura alle dieci
354 Robert Louis Stevenson. Ricordo di Fleeming Jenkin
355 Andrea Camilleri. Il cane di terracotta
356 Francesco Bacone. Saggi
357 Wilkie Collins. Testimone d'accusa
358 Santo Piazzese. I delitti di via Medina-Sidonia
359 Patricia Highsmith. La casa nera
360 Racconti gialli
361 L'almanacco del delitto
362 Baronessa Orczy. Il vecchio nell'angolo
363 Jean Giono. La fine degli eroi
364 Carlo Lucarelli. Via delle Oche
365 Sergio Atzeni. Bellas mariposas
366 José Martí. Il processo Guiteau
367 Marcella Olschki. Oh, America!
368 Franco Vegliani. La frontiera
369 Maria Messina. Pettini-fini
370 Maria Messina. Le briciole del destino
371 Maria Messina. Il guinzaglio
372 Gesualdo Bufalino. La luce e il lutto
373 Christopher Morley. La macchina da scrivere
374 Andrea Camilleri. Il ladro di merendine
375 Pino Di Silvestro. Le epigrafi di Leonardo Sciascia
376 Francis Scott Fitzgerald. La crociera del Rottame Vagante

377 Franz Kafka. Sogni
378 Andrea Camilleri. Un filo di fumo
379 Annie Messina. Il banchetto dell'emiro
380 Lucio Anneo Seneca. Alla madre
381 Tommaso Di Ciaula. Acque sante, acque marce
382 Giovanni Papapietro. L'amica di mia madre
383 Ignazio Buttitta. La vera storia di Salvatore Giuliano
384 Giovanni di Alta Selva. Dolopato ovvero Il re e i sette sapienti
385 Andrea Camilleri. La bolla di componenda
386 Daphne du Maurier. Non voltarti
387 Daphne du Maurier. Gli uccelli
388 Daphne du Maurier. L'alibi
389 Julia Kristeva. Una donna decapitata
390 Alessandro Perissinotto. L'anno che uccisero Rosetta
391 Maurice Leblanc. Arsène Lupin contro la Mafia
392 Carolyn G. Hart. Morte in libreria
393 Fabrizio Canfora, Gotthold Ephraim Lessing. L'educazione del genere umano
394 Maria Messina. Ragazze siciliane
395 Maria Messina. Piccoli gorghi
396 Federico De Roberto. La sorte
397 Federico De Roberto. Processi verbali